WILLIAM JONES

Eirwen.

I Iris, i gofio am y dyddiau difyr yn Ysgol Haf Bangor 1998 – ac eich arhosiad yn Mlas Cecile!

Pob hwyl,

Eirwen.

WILLIAM JONES

Ar gyfer oedolion sy'n dysgu Cymraeg

T. ROWLAND HUGHES
(talfyriad gan Basil Davies)

GOMER
1986

Argraffiad Cyntaf—Gorffennaf 1986

ISBN 0 86383 250 4

Dymuna'r cyhoeddwyr gydnabod cymorth a chyfarwyddyd Adrannau'r Cyngor Llyfrau Cymraeg a noddir gan Gyngor Celfyddydau Cymru.

Argraffwyd gan J. D. Lewis a'i Feibion Cyf., Gwasg Gomer, Llandysul, Dyfed

CYNNWYS

RHAGAIR

Dyma'r ail nofel yn y gyfres *Cam at y Cewri*. Cafodd y gyntaf yn y gyfres—*O Law i Law*—dderbyniad calonogol iawn gan ddysgwyr.

Yr un pwrpas sydd i'r talfyriad hwn ag i'w ragflaenydd (*predecessor*) sef fy mod yn ceisio adeiladu pont ar gyfer y bobl hynny sydd wrthi'n dysgu'r iaith ac sydd am ddarllen nofel boblogaidd gan awdur adnabyddus (*well known*).

Talfyrrwyd y nofel wreiddiol yn sylweddol (*substantially*) ac nid yw'r penodau *Eleri* ac *Awyr Iach* yn ymddangos o gwbl. Eto, rhaid imi bwysleisio mai iaith y nofel wreiddiol sydd yma heblaw pan fu'n rhaid imi, yma ac acw, gysylltu (*link*) brawddegau a gosodwyd fy ngeiriau i mewn cromfachau. Ychwanegwyd nodiadau i esbonio'r eirfa ac ambell gystrawen ddieithr. Y nod syml yw helpu'r darllenydd i ddeall y nofel. Pwrpas tebyg sydd i'r Atodiad a dylid astudio hwnnw cyn darllen y nofel.

Drwy'r cyfan gobeithio y cewch ddigon o help i ddeall y nofel, ac o'i deall ei mwynhau, a'i mwynhau gymaint fel y byddwch yn benderfynol o ddarllen y nofel wreiddiol. Felly, tamaid i aros pryd yw'r fersiwn hwn, a dim arall.

W. BASIL DAVIES

CYDNABOD

Darllenwyd y llawysgrif gan dri pherson a fu wrthi'n dysgu'r Gymraeg yn ddiweddar, ac mae'n bleser gen i ddiolch i Lorraine Beard o Bentyrch, Pat Simpson o Gaerdydd a Trevor Tasker o Gwmbach am eu hawgrymiadau gwerthfawr.

Rwy'n ddiolchgar i Mrs. Eirene Anthony Davies am ei chaniatâd caredig i dalfyrru *William Jones*.

Diolch i gyfarwyddwyr a staff Gwasg Gomer am fod mor barod i gyhoeddi'r fersiwn hwn o'r nofel boblogaidd ac am eu gofal wrth argraffu.

BYWGRAFFIAD O T. ROWLAND HUGHES (1903-1949)

Brodor o Lanberis yng Ngwynedd oedd Thomas Rowland Hughes. Ar ôl graddio yng Ngholeg y Brifysgol, Bangor yn 1925 bu am ddwy flynedd yn athro yn Ysgol Sir y Bechgyn, Aberdâr. Aeth oddi yno o Rydychen i weithio am radd B.Litt., ac ar ôl gorffen dychwelodd i Goleg Harlech lle bu'n ddarlithydd rhwng 1930 a 1933. Treuliodd flwyddyn wedyn mewn swydd yn Llundain cyn iddo ymuno â'r Gorfforaeth Ddarlledu Brydeinig (B.B.C.) yng Nghaerdydd yn 1935.

Yn fuan wedyn cafodd ei daro'n wael; eto i gyd, er gwaethaf ei salwch aeth ati i ysgrifennu nofelau. *O Law i Law* oedd y gyntaf ohonynt i weld golau dydd a hynny yn 1943. Fe'i dilynwyd gan *William Jones, Yr Ogof, Chwalfa, Y Cychwyn* a phob un ohonynt (ac eithrio *Yr Ogof*) yn defnyddio ardal y chwareli'n gefndir.

Mae T. Rowland Hughes yn enwog fel bardd hefyd; ef oedd bardd cadeiriol Eisteddfod Genedlaethol Machynlleth 1937, ac awdur y gyfrol o farddoniaeth *Cân neu Ddwy* (1948).

(Darllenwch: *T. Rowland Hughes, Cofiant* gan Edward Rees, Gwasg Gomer, 1968)

BYRFODDAU

cf.—cymharer, *compare*
h.y.—hynny yw, *that is*
(G.C.)—ffurf a ddefnyddir yng Ngogledd Cymru
(D.C.)—ffurf a ddefnyddir yn Ne Cymru
(fem.)—benywaidd, *feminine*
(masc.)—gwrywaidd, *masculine*

Pennod I

AR ÔL

Canodd y cloc-larwm.

Gorweddai William Jones yn ei wely a'i freuddwyd yn un pêr. Gwelai wraig dyner a hardd uwch ei ben yn gwenu'n gariadus arno. Deuai aroglau cig moch i fyny o'r gegin, a gwyddai fod y wraig dyner a hardd yn ei alw at frecwast. . . . Yna deffroes, a diflannodd y breuddwyd.

Syllodd i dywyllwch yr ystafell, gan wrando ar sŵn y cloc-larwm yn gwanhau ac yn marw. Chwech o'r gloch. Pum munud bach eto, meddai wrtho'i hun: yr oedd hi'n braf ar ei gefn yn ei wely fel hyn. Caeodd ei lygaid i freuddwydio eto am y wraig dyner a hardd ac am y platiad o gig moch a'r ddau wy. A syrthiodd William Jones i gysgu.

Deffroes yn sydyn. Y nefoedd fawr, yr oedd hi'n siŵr o fod yn ganiad bron. Bron yn ganiad? Yr oedd hi yn ganiad. Clywodd gorn y chwarel yn rhuo yn y pellter, a neidiodd o'i wely. Rhuthrodd i godi'r llen oddi ar y ffenestr, ac wrth redeg i wisgo, llithrodd mat bychan dan ei draed. Saethodd William Jones i gyfeiriad y bwrdd crwn wrth ochr y gwely, a saethodd y bwrdd i gongl yr ystafell, gan daflu'r cloc-larwm a gwydr y dannedd-gosod yn erbyn y mur. Dannedd-gosod ei wraig, hefyd.

"Go damia!"

"Be ddeudist ti?"

"'Go damia' ddeudis i a 'Go damia' o'n i'n feddwl. Cyffra

---

ar ôl: *behind* h.y. yn hwyr
pêr: melys, hyfryd
tyner: *tender*
cariadus: yn llawn cariad
deuai: roedd . . . yn dod
gwyddai: roedd . . . yn gwybod
at frecwast: h.y. i gael brecwast
deffroes: dihunodd cf. troes—troiodd
syllodd: *he stared,* (syllu)
gwanhau: yn mynd yn wan
caniad: corn y chwarel yn canu i ddweud ei bod hi'n bryd dechrau gweithio
corn: hwter
rhuo: gwneud sŵn mawr
crwn: *round*
congl (G.C.): cornel
dannedd-gosod: *false teeth*
mur: wal
go damia!: *damn it!*
cyffra!: symuda! (cyffro—*to stir*)

o'r gwely 'na wir, i roi tamad yn fy nhun-bwyd i. 'Wyddost ti i bod hi wedi'r caniad, a bod dy ddannadd-gosod di yn yfflon ar y llawr 'ma, a bod y dŵr oedd yn y glás . . .?''

''Be!'' A chododd Leusa Jones o'i gwely mewn braw.

Rhuthrodd William Jones i lawr y grisiau a mynd ati i dorri bara-ymenyn ar gyfer ei dun-bwyd. Yna trawodd ddarn o gaws yn y tun, ac wedi rhoi ei esgidiau am ei draed, rhedodd i'r drws ac o'r tŷ.

* * * *

Yr oedd y stryd yn wag: ef oedd yr olaf un. Daria, petai o wedi codi pan glywodd sŵn y cloc-larwm, yn lle mynd i freuddwydio'n ffôl. Pam y breuddwydiodd o am y wraig honno a'r cig moch a'r wyau, tybed? Hy, am fod Leusa yn gorwedd yn ei gwely bob bore yn lle codi i'w gychwyn i'r gwaith. Ugeiniau o weithiau y ffraeasant ar y pwnc, a phob tro torrai Leusa i grio ac i gwynfan am wendid ei chalon. Byth er pan soniodd gwraig y drws nesaf fod wyneb go binc yn arwydd o galon wan, yr oedd Leusa'n berffaith sicr fod ei chalon hi ar ddiffygio.

''Ar ôl, heddiw, William Jones?''

Nodiodd, gan wenu, a brysiodd ymlaen. Nid oedd ganddo amser i aros hefo rhyw greadur fel Now Portar. Rhyw ddyn yn yfed ac yn rhegi ac yn curo'i wraig yn ei ddiod oedd Now Pritchard.

''Y ddynas 'cw, William Jones. Dim symud arni yn y bora. Mi fydda i'n siŵr o gael y sac un o'r dyddia' 'ma. Bydda', myn cythral i! Be ma' gwraig yn dda os na fedar hi godi dyn at 'i waith

---

tamad: tamaid h.y. ychydig (i'w fwyta)
yn yfflon: wedi torri yn ddarnau mân
braw: ofn
mynd ati: *to go about it*
trawodd: dododd, (taro—dodi)
yr olaf un: h.y. *the very last one*
daria!: *dash it!*
cychwyn: h.y. i'w helpu i ddechrau ar ei ffordd
ugeiniau: ugain (20) × ugain, etc.
ffraeasant: buon nhw'n cweryla, (ffraeo)
pwnc: h.y. y peth
cwynfan: cwyno
gwendid: *weakness*
go: eithaf, *rather*
arwydd: *sign*
sicr: siŵr
ar ddiffygio: h.y. ar fin stopio
Now: h.y. Owen
rhegi: *to swear*
y ddynas 'cw: y fenyw 'cw, y wraig
dim symud arni: h.y. *you can't budge her*
myn cythral i!: h.y. *damn it!*

yn y bora', 'nte?'' Troes i lawr tua'r orsaf, a brysiodd y chwarelwr ymlaen.

Cyrhaeddodd waelod y llwybr o dan y chwarel, a buan yr oedd yn sychu'r chwys oddi ar ei dalcen wrth geisio cyflymu. Troes o'r llwybr a hanner-rhedeg hyd wastad y Bonc Hir. Y nefoedd, Tom Owen y Stiward!

''Bora da, William Jones.''

''Y . . . Bora da, Mr. Owen.''

''Bora braf.''

''Y . . . Ydi, wir, bora braf iawn. Y tro cynta yn fy mywyd, Mr. Owen, ac rydw i'n gweithio yn y chwaral ers yn agos i ddeugian mlynadd.''

''Peidiwch â phoeni, William Jones. Be fu?''

''Y cloc-larwm 'cw ddaru stopio yn y nos, ac fe gysgodd y wraig a finna tan ganiad.''

''Peidiwch â phoeni am y peth o gwbwl. Ond mi faswn i'n eich cynghori chi i ddibynnu, fel finna, ar y wraig yn lle ar y cloc-larwm. Welis i neb fel Mrs. Owen acw am ddeffro yn y bore. I'r eiliad. I'r eiliad bob gafael . . . Ydi, wir, mae hi yn ddiwrnod braf. Wel, bora da rŵan.''

''Bora da, Mr. Owen, diolch yn fawr i chi.''

Cyrhaeddodd ei wal o'r diwedd a brysiodd iddi, gan dynnu ei gôt. Eisteddodd ar ei flocyn a dechreuodd hollti. Aeth ei bartner, Bob Gruffydd ymlaen â'i naddu heb yngan gair. Gŵr hynod dawedog oedd ef.

''Be ddigwyddodd hiddiw, William?'' gofynnodd cyn hir.

''Y cloc-larwm, fachgan. Mi stopiodd yn y nos, ac roedd hi'n ganiad ar Leusa a finna yn deffro.''

''Wedi anghofio'i weindio fo, William?''

---

os na fedar hi (G.C.): os nad ydy hi'n medru/gallu
troes: troiodd
cyflymu: *to accelerate*
gwastad: tir fflat
y Bonc Hir: enw un o'r lefelau yn y chwarel
deugian (G.C.): h.y. deugain (40)
ddaru stopio (G.C.): stopiodd
cynghori: *to advise*
eiliad: *second*
bob gafael : bob tro/cyfle
wal: y rhan o'r chwarel lle roedd y chwarelwyr yn gweithio
blocyn: *block*
hollti: *to split (the stone)*
naddu: *to dress (a stone)*
heb yngan gair: heb ddweud dim
hynod dawedog: rhyfedd o dawel
weindio: *to wind*

"Na, stopio ohono'i hun ddaru o."

"Mae gin i un yn y tŷ acw yn rhwla, ond dydw i 'rioed wedi'i ddefnyddio fo. Mae Jane acw yn deffro fel cloc bob bora. Ydi, fel cloc. Ddaru hi 'rioed fethu, fachgan, ha na gaea."

* * * *

Wrth ruthro i'r chwarel ni chawsai William Jones amser i feddwl am ddigwyddiadau anffodus y bore, ond yn awr, yn nhawelwch y wal, teimlai'n anniddig iawn. I beth mae gwraig yn dda os na fedr hi gychwyn dyn at ei waith?—dyna gwestiwn Now Portar. "Neb fel Mrs. Owen acw am ddeffro yn y bore," meddai Tom Owen, y Stiward. "Fel cloc," meddai Bob Gruffydd am ei wraig.

Roedd Leusa'n mynd o ddrwg i waeth, yn gorwedd yn ei gwely bob bore, yn paratoi bwyd rywsut-rywsut, yn treulio oriau yn nhŷ Ifan ei brawd, yn mynd i'r sinema bob nos Lun a nos Iau, ac yn dal bws i Gaernarfon bron bob prynhawn Sadwrn.

Yr oedd yn rhaid i Leusa newid ei ffordd neu . . . Neu beth? Ni wyddai William Jones. Ni fedrai roi cweir i'w wraig: nid un felly oedd ef. Un go sâl am ffrae oedd o hefyd, a phetai'n bygwth ei daflu ei hun i'r Pwll Dwfn, ni wnâi Leusa ond chwerthin am ei ben. Yr oedd y broblem yn un go anodd. Anodd iawn.

Troes y ddau i'r caban-ymochel pan ganodd y corn un ar ddeg.

"A diawl, i ffwrdd â fo i'r Sowth, hogia." Dic Trombôn a oedd wrthi. Pan welodd Bob Gruffydd a'i bartner, gofynnodd, "Glywsoch chi am Now John?"

---

ohono'i hun: *of its own accord*
ddaru o (G.C.): wnaeth e
rhwla (G.C.): h.y. rhywle
Jane acw: cf. y ddynas 'cw, Mrs. Owen acw
ni chawsai: nid oedd wedi cael
yn nhawelwch: *in the silence of*
anniddig: *irritable*
bwyd rywsut-rywsut: unrhyw fath o fwyd
ni wyddai: nid oedd yn gwybod
rhoi cweir (G.C.): rhoi cot(en) (D.C.), *to give a hiding*
un go sâl: h.y. person eithaf gwael
bygwth: *to threaten*
ni wnâi L.: fyddai L. ddim yn gwneud (dim)
caban-ymochel: caban i fynd iddo pan fydden nhw'n saethu/tanio yn y chwarel
corn un ar ddeg: hwter yn cyhoeddi egwyl y bore
hogia (G.C.): hogiau, bechgyn
wrthi: *at it* (yn siarad)

"Clywad be?"

"Amdano fo'n gwadnu hi i'r Sowth?"

"Naddo."

"Mi aeth adra echnos fel arfar," meddai Dic, "a ffeindio bod y wraig wedi mynd am swae i Gnarfon. Roedd hi'n galifantio i rwla o hyd ac o hyd, a doedd dim iws i Now godi'i gloch. Fel glaw ar gefn chwadan, William Jones. Dim swpar-chwaral, dim ond platiad o frôn a photal o bicyls. Weł, mi ddaeth hi adra tua chwech, gwneud tamad iddi hi'i hun, a pharatoi i fynd allan wedyn. 'I ble rwyt ti'n mynd, Maggie Jane?' medda' Now. 'I'r pictiwrs,' medda' hitha yn reit siort. 'Os ei di i'r pictiwrs 'na heno, 'nginath i,' medda' Now, 'mi fydda' i'n deud gwd-bei wrthat ti a'th hen lol i gyd.' 'O,' medda' hitha', 'i ble yr ei di, mi liciwn i gael gwbod?' 'I'r Sowth at Wil fy nghefndar," medda' Now. 'Hy!' medda' Maggie Jane, gan daflu'i phen a martsio allan o'r tŷ. Dyma Now yn mynd i fyny i'r llofft ac yn pacio'i fag, ac i ffwrdd â fo i'r Sowth hefo'r trên wyth bora ddoe."

"Sut mae Meri, dy chwaer, tua'r Sowth 'na?" gofynnodd Bob Gruffydd iddo wedi iddynt ddychwelyd at eu gwaith.

"Go lew, wir, Bob, ond fod Crad allan o waith o hyd, fel y gwyddost ti. Pam oeddat ti'n gofyn?"

"Gofyn be?"

"Am Meri, fy chwaer."

"O, dim ond digwydd meddwl amdani pan oedd Dic Jones yn deud y stori 'na. Rhyw le rhyfadd sy tua'r Sowth 'na," meddai. "Fûm i 'rioed yno, ond maen nhw'n deud 'u bod nhw'n byw ar draws 'i gilydd yno, ddwsina ym mhob tŷ, fachgan. Mae gin y wraig 'cw gnithar wedi priodi coliar yn y

---

(ei) gwadnu hi: rhedeg i ffwrdd
am swae: am amser da
Cnarfon: h.y. Caernarfon
dim iws: dim pwynt
codi'i gloch: colli'i dymer
chwadan (G.C.): h.y. hwyaden
swpar-chwaral: cinio twym i'r chwarelwr pan fyddai'n cyrraedd o'r chwarel
brôn: cig o ben mochyn
medda hitha: meddai hithau, dywedodd hi
yn reit siort: *curtly*
'nginath i (G.C.): h.y. fy ngeneth i, fy merch i
dychwelyd: mynd yn ôl
fel y gwyddost ti: fel rwyt ti'n gwybod
yn byw ar draws 'i gilydd: yn byw ar ben ei gilydd
dwsina: dwsinau, h.y. 12 × 12 × 12, etc.
gin (G.C.): h.y. gan
cnithar (G.C.): h.y. cyfnither

Rhondda na, ac, yn ôl yr hyn ydw i'n glywad, 'fedar hi yn 'i byw ddallt gair maen nhw'n drio ddeud wrthi hi. Hogan glên ofnadwy, hefyd.''

''Lol ydi hynny, Bob.''

''Be?''

''Na fedar hi mo'u dallt nhw. Mae Meri, fy chwaer, yn dallt pob gair ac yn licio'r bobol yn arw.''

*   *   *   *

Canodd corn hanner dydd cyn hir, a dringodd y ddau yr ysgol haearn i'r bonc, gan frysio i'w wal i nôl eu tuniau-bwyd. Wedi byw heb frecwast, teimlai William Jones yn bur newynog, ond nid edrychai ymlaen at ei ginio. Wrth fwrdd y caban-bwyta syllodd yn eiddigeddus ar y wledd a dynnai Robert Gruffydd o'i dun-bwyd. Yr oedd ganddo rywbeth rhwng pob brechdan—cig rhwng rhai, letys rhwng eraill, mêl rhwng eraill a darn mawr o deisen a dwy neu dair o gacenni bychain crynion.

Yr oedd ar William Jones gywilydd o'i frechdanau a cheisiai eu cuddio rhag llygaid mawr ei bartner. Ond, ar ganol brechdan-gig flasus, peidiodd dannedd Robert Gruffydd â chnoi, a rhythodd ar y frechdan a godai William Jones i'w geg. Ond ni ddywedodd ddim.

''Ga i fenthyg cloc-larwm gin ti heno, Bob?'' gofynnodd William Jones ymhen ennyd.

''Cei, 'nenno'r Tad. Be wnei di, dŵad heibio i'r tŷ acw ar dy ffordd adra heno?''

''O'r gora, Bob.''

---

fedar hi yn 'i byw: *she can't for the life of her*
dallt (G.C.): h.y. deall
clên (G.C.): dymunol, caredig
yn arw: h.y. yn fawr iawn
corn hanner dydd: hwter yn dweud ei bod hi'n amser cinio
y bonc: y lefel yn y chwarel lle roedd y chwarelwyr yn gweithio
yn bur: yn eithaf
newynog: eisiau bwyd
syllodd: *he stared,* (syllu)
yn eiddigeddus: *enviously*
cacenni crynion: teisennod crwn
yr oedd ar W.J. gywilydd: *W.J. was ashamed*
peidiodd: stopiodd
rhythodd: *he stared,* (rhythu)
ymhen ennyd: ar ôl ychydig bach o amser
'nenno'r Tad (G.C.): h.y. yn enw'r Tad, wrth gwrs

Gorffennodd William Jones hynny o fwyd a oedd ganddo yn fuan iawn, ac yna ceisiodd gadw ei lygaid i ffwrdd oddi wrth frechdanau ei bartner.

"Wn i ddim be ddeudith Jane wrtha i heno," meddai Robert Gruffydd, gan ddechrau taro dwy frechdan a dwy gacen yn ôl yn ei dun-bwyd.

"Pam, Bob?"

"Mi fydd hi'n deud y drefn yn ofnadwy bob tro y bydda i'n mynd â bwyd yn ôl adra, wsti. Ond wir, fedra i ddim bwyta chwanag hiddiw. Y tywydd poeth 'ma, mae'n debyg. Fedri di mo'u bwyta nhw imi, William?"

"Na, rydw i wedi gneud yn reit dda, fachgan."

"Mi dafla i nhw i'r adar rhag i Jane gael dim i'w ddweud."

"Wel, os mai dyna rwyt ti am wneud hefo nhw, Bob, 'falla' y medra i fwyta rhai ohonyn nhw iti."

Diawch, yr oeddynt yn flasus hefyd, a bwytaodd William Jones y cwbl, bron heb sylweddoli ei fod yn gwneud hynny. Un dda am gacen oedd Jane Gruffydd, meddai wrtho'i hun.

"Y dentist gora yn yr holl sir. A does neb tebyg iddo fo am ddannadd-gosod." Huw Lewis, partner Dic Trombôn, oedd yn defnyddio'i lais uchel, treiddgar, ym mhen arall y caban. Agorodd William Jones ei glustiau. Nid oedd ganddo ddim i'w ddweud wrth ryw hen geg fel Huw Lewis, ond teimlai'n ddiolchgar iddo am gyhoeddi'r newydd da o lawenydd mawr.

"Mi gafodd y wraig 'cw set gynno fo. Dim trwbwl yntôl hefo nhw. Dannadd *champion.* Rydan ni'n rêl *chums.*"

Yn Y Bwl gyda'r nos yr oedd Huws (y Deintydd) a Huw Lewis yn *chums,* wrth gwrs, ac am bob cwsmer a enillid iddo

---

hynny o fwyd a oedd ganddo: *the amount of food that he had*
yn fuan: *soon*
taro: dodi
cacen: teisen
wsti (G.C.): h.y. wyddost ti, rwyt ti'n gwybod
chwanag (G.C.): h.y. ychwaneg, rhagor
yn reit dda (G.C.): yn eithaf da
rhag i Jane: *in case Jane*
am wneud: yn bwriadu'i wneud
'falla: h.y. efallai
diawch!: *goodness!*
treiddgar: *penetrating*
rhyw hen geg: h.y. *some big mouth*
diolchgar: yn llawn diolch
cyhoeddi: *to announce*
llawenydd: hapusrwydd
yntôl: h.y. *at all*
rêl: h.y. *real*
a enillid iddo: h.y. y byddai ei ffrindiau yn *Y Bwl* yn ffeindio iddo

gan ddeiliaid y dafarn, fe dalai'r deintydd beint, ac weithiau ddau neu dri.

Galwodd William Jones yn nhŷ Robert Gruffydd ar ei ffordd adref o'r gwaith. Cyn gynted ag yr agorodd ei gŵr y drws, brysiodd Jane Gruffydd i'r gegin fach a dychwelyd hefo platiad mawr o datws a chig a moron a'i daro ar y bwrdd.

''William 'ma isio cael benthyg y cloc-larwm,'' meddai Robert Gruffydd wrthi.

''Diar annwl, â chroeso. Mi a' i i'w nôl o rŵan.'' Ac i ffwrdd â hi i'r llofft. Aeth ei gŵr allan i'r cefn i olchi ei ddwylo.

Edrychodd William Jones o amgylch y gegin. Glendid a chysur ym mhobman, sglein ar bopeth, lliain glân ar y bwrdd. A'r platiad bwyd 'na!

''Dyma fo,'' meddai Jane Gruffydd, yn dychwelyd hefo'r cloc-larwm. ''Un bach da ydi o hefyd.''

''Diolch yn fawr. Dim ond nes ca' i amsar i brynu un. Wel, da boch chi rŵan.''

''Mi faswn i'n gofyn i chi gymryd tamad hefo Bob ond 'mod i'n gwbod bod y wraig yn eich disgwyl chi,'' meddai Jane Gruffydd wrth ei hebrwng at y drws.

''Y wraig,'' meddai William Jones wrtho'i hun. Rhyfedd fod pobl yn sôn am Leusa fel ''y wraig'' yn lle ei galw wrth ei henw. Ond dyna fo, ni fu Leusa erioed yn gyfeillgar iawn hefo neb. Diawch, gobeithio bod Huws y Deintydd wedi llwyddo i drwsio'r dannedd yna.

---

deiliaid: *tenants* h.y. cwsmeriaid
mi a' i i'w 'nôl o: *I'll go and fetch it,* (mynd i 'nôl)
llofft (G.C.): ystafell wely
glendid: *cleanliness*
cysur: *comfort*
sglein: *shine*
hebrwng: mynd gyda
cyfeillgar: *friendly*

Pennod II

DIWRNOD I'R BRENIN

Pan ruthrodd Leusa Jones i ddôr y cefn yn ei choban, a'i dannedd-gosod yn ei llaw, ni chymerodd ei gŵr un sylw ohoni, dim ond rhedeg am ei fywyd i gyfeiriad y chwarel. Penderfynasai yn drist y byddai'n rhaid iddi fodloni ar dipyn o uwd i frecwast. Yr oedd tamaid o gig moch mor flasus yn y bore, hefyd, ond ar ôl i'r ffŵl yna. . . . Taflodd Leusa Jones ei phen ddwywaith neu dair yn ddig, a rhoes gic ffyrnig i'r gath. A hithau wedi meddwl mynd am dro i Gaernarfon heddiw i drio un neu ddwy o'r hetiau newydd hynny yr oedd y ferch wedi addo eu rhoi o'r neilltu iddi! Ond ni allai fynd i le felly heb ei dannedd-gosod.

Galwodd y dyn-llefrith cyn hir.

"Peint, fel arfar, Mrs. Jones?"

"Ia, Wmffra."

Pam yr oedd y creadur â'r wên yna ar ei wyneb?

"Wedi cael damwain, Wmffra. Torri fy nannadd-gosod bora 'ma."

"Tewch, da chi! Be ddigwyddodd, Mrs. Jones?"

"Y . . . Syrthio ddaru nhw wrth imi'u llnau nhw wrth y feis."

"Tewch, da chi!"

Wedi golchi a chlirio llestri'r brecwast, aeth Leusa Jones ati i wneud y gwely a thwtio'r llofft. Daliai'r cloc-larwm i fynd yng

---

diwrnod i'r brenin: diwrnod i rywun ei fwynhau ei hun
dôr: drws
coban: crys nos i'w wisgo yn y gwely
un sylw: *any attention*
penderfynasai: roedd wedi penderfynu (*decide*)
bodloni ar: *to be satisfied with*
uwd: *porridge*
yn ddig: yn grac/yn flin
rhoes: rhoiodd, (rhoi)
cic ffyrnig: cic gas iawn
addo: *to promise*
eu rhoi o'r neilltu: *to put them aside*
ni allai (hi): doedd hi ddim yn gallu
tewch (G.C.): byddwch yn dawel h.y. *you don't say,* (tewi)
da chi: *for goodness sake*
syrthio ddaru nhw (G.C.): cwympo wnaethon nhw
llnau (G.C.): h.y. glanhau
y feis: y tap dŵr
twtio: tacluso
llofft (G.C.): ystafell wely

nghanol pwll bychan o ddŵr ar lawr y llofft. Plygodd Leusa Jones i'w godi a gwelodd rywbeth bach brown ar y llawr wrth ei ymyl. Darn arall o blât ei dannedd-gosod! Go daria, a hithau wedi meddwl mai dim ond hollti'n ddau a wnaethai'r plât!

Curodd wrth ddrws y deintydd am naw o'r gloch i'r funud.

Mrs. Huws a ddaeth i'r drws.

"Ydi Mr. Huws i mewn?"

"'I ddiwrnod o yn Llan Rhyd ydi heddiw, Mrs. Jones. Fydd o ddim yma byth ar ddydd Iau. Wnewch chi alw bora 'fory?"

"'Nannadd-gosod i sy wedi torri, Mrs. Huws, a finna isio'u cael nhw ar unwaith, ydach chi'n dallt. Syrthio ddaru nhw wrth y feis."

"Ydi'r plât wedi torri, Mrs. Jones?"

"Ydi, yn ddau . . . y . . . yn dri."

"Piti. Mi gymer wsnos iddo fo. Mae o'n brysur iawn y dyddia yma."

Beth a wnâi? Penderfynodd fynd i lawr i Gaernarfon i chwilio am ddeintydd yno. Faint gostiai'r peth, tybed? Rhwng chweugain a phunt, y mae'n siŵr. A chan ei bod hi'n mynd i'r dref, gwell oedd iddi gael golwg ar yr hetiau hynny. Trawodd Leusa dair punt yn ei phwrs.

Yr oedd hi ar gychwyn am y bws pan ddaeth i'w meddwl y gallai'r deintydd ei chadw i aros oriau meithion am y dannedd. Gwell oedd iddi daro rhywbeth ar y bwrdd ar gyfer ei gŵr. Beth gâi? Nid oedd ganddi ddim yn y tŷ, a rhedodd allan i Siop Morus Bach, gan ddychwelyd hefo chwarter o frôn. Y brôn ar blât, potelaid o 'nionod wedi eu piclo, torth, ac ymenyn—a dyna'r swper-chwarel yn barod.

Daliodd fws hanner awr wedi deg, ac ynddo eisteddodd wrth ochr Susan, gwraig Huw Lewis.

---

go daria!: *dash it all!*
hollti'n ddau: torri'n ddau ddarn
a wnaethai'r plât: roedd y plât wedi'i wneud
mi gymer: fe gymeriff (hi), (cymryd)
wsnos: h.y. wythnos
Beth a wnâi?: Beth fyddai hi'n (gallu) ei wneud?
tybed?: sgwn i? (*I wonder?*)
chweugain: deg swllt, 50c.
a chan: ac oherwydd
golwg: *a look*
trawodd: dododd, (taro)
ar gychwyn: ar fin cychwyn
meithion: hir(ion)
Beth a gâi?: Beth fyddai hi'n ei gael?
'nionod (G.C.): h.y. wynwyn, wynwns

''Hylo, Leusa,'' meddai honno. ''Mynd i'r dre?''
''Ia. 'Nannadd-gosod i 'di torri, hogan.''
''Taw! Sut?''
''Y . . . Syrthio wrth y feis, cofia. Wrth imi 'u llnau nhw bora.''
''Rwyt ti'n gneud yn gall yn mynd i'r dre. Un sâl ydi'r Huws 'na. Fedra i fyta dim hefo'r rhai ges i gynno fo. Huw acw wnaeth imi fynd ato fo. Neb tebyg iddo fo, medda'r cradur wrtha i, a mi fûm inna'n ddigon o ffŵl i wrando arno fo. Dydi'r Huws 'na ddim yn sobor hannar 'i amsar.''
Cychwynnodd y bws, a threuliodd y ddwy ddeng munud difyr iawn yn adrodd profiadau deintyddol. Yna, yn sydyn, cofiodd Susan am helyntion Maggie Jane Ifans a'r gŵr a giliodd i'r Sowth.
''Glywist ti am Now John Ifans?''
''Naddo. Be?''
''Wedi gadal 'i wraig a mynd i'r Sowth, cofia.''
''Diar annwl, pam?''
''Wel, mi wyddost sut un ydi Maggie Jane—ddim yn codi yn y bora, na gneud bwyd, ac yn galifantio i Gnarfon o hyd. Roedd Huw 'cw yn deud mai i'r Sowth ne' rywla y basa fynta'n mynd hefyd 'taswn i yn byhafio yr un fath â hi.''

* * * *

Aeth Leusa yn syth at y deintydd pan gyrhaeddodd y dref, ond nid oedd ef yn rhydd am hanner awr. Troes i gaffi gerllaw am gwpanaid i ladd amser. Rhoes y ferch blatiad o gacenni hefyd ar y bwrdd, ond penderfynodd Leusa Jones wrthsefyll y demtasiwn. Ond yr oedd y cacenni yn rhai neis iawn. Dim ond un fach go feddal, meddai wrthi ei hun, *sponge* fach . . . (a dyma hi'n) clirio'r platiad i gyd.

Taw!: Bydd yn dawel! h.y. *You don't say!* cf. tewch
yn gall: *wisely*
cradur: h.y. creadur, *creature*
sobor: *sober*
difyr: *entertaining*
deintyddol: *dental*
helyntion: trafferthion
a giliodd: a ddihangodd, *who fled,* (cilio)
diar annwl (annwyl): *dear me!*
fynta: FE hefyd
gerllaw: yn ymyl
gwrthsefyll: *to withstand*
temtasiwn: *temptation*

Yr oedd yn wir ddrwg gan y deintydd, ond ni fedrai addo'r dannedd mewn llai nag wythnos: digwyddai fod yn anarferol o brysur. Hm, ymhle y cawsai Mrs. Jones y dannedd hyn? Rhai go sâl, yr oedd yn rhaid iddo ddweud, rhai tila iawn. Ei gyngor ef oedd cael set hollol newydd. "Rhai naturiol fel y rhai hyn, er enghraifft," meddai, gan ddangos iddi gerdyn â rhes o ddannedd arno. Cytunodd Leusa fod y dannedd yn rhai hardd iawn a'i bod hi wedi meddwl ganwaith mor hyll oedd y rhai a fuasai ganddi hi. Campus, campus; os byddai Mrs. Jones mor garedig ag eistedd yn y gadair 'na am funud iddo gael cymryd *impression* . . . Thanciw, Mrs. Jones, thanciw . . . Diwrnod braf!

* * * *

Crwydrodd Leusa heibio i'r siop hetiau ar ei ffordd o dŷ'r deintydd, a mawr oedd ei chyffro wrth weld y gair SALE ar draws y ffenestr. Siomedig, er hynny, oedd yr hetiau rhad—rhai gwellt i gyd, a hithau wedi meddwl cael un fach ffelt. Yr oedd Mrs. Jones yn ffodus, meddai'r ferch—stoc o hetiau ffelt, y *very latest,* newydd gyrraedd y bore hwnnw. Treiodd Leusa un fach frown, ac uchel oedd syndod y ferch wrth syllu ar y gweddnewidiad ynddi. Edrychai Mrs. Jones ddeng mlynedd yn iau, ac ni fyddai ei gŵr yn ei hadnabod. Ond teimlai Leusa fod ei gwallt yn hongian yn syth ac yn hir o dan yr het.

Oedd, cytunai'r ferch, yr oedd gwallt Mrs. Jones braidd yn syth. Barbwr? O, yr oedd un yn syth tros y ffordd, y gorau yn y dref, artist wrth ei gwaith. Wrth gwrs, yr oedd *perm* braidd yn ddrud ac yn cymryd amser, ond fe ddylai merch gael rhyw bleser mewn bywyd, oni ddylai, Mrs. Jones? Prynodd Leusa'r het ac yna croesodd y ffordd i siop y barbwr.

"Isio pyrmio fy ngwallt, *please.*"

"Oes gynnoch chi *appointment?*"

"Na, digwydd picio i'r dre wnes i hiddiw a meddwl y liciwn i 'i gael o wedi'i wneud."

---

yn wir ddrwg: yn ddrwg iawn, *truly sorry*
addo: *to promise*
cawsai: roedd wedi cael
tila: *feeble*
ganwaith: cant o weithiau
a fuasai ganddi hi: a oedd yn arfer bod ganddi hi
campus: ardderchog
cyffro: *excitement*
gwellt: *straw*
gweddnewidiad: *transformation*
yn iau: yn ifancach
digwydd picio i (G.C.): *just happening to pop into*

Dychwelodd y ferch at Leusa gyda'r newydd na theimlai rhyw Mrs. Ffoulkes Lloyd yn dda ac yr hoffai ohirio'i hymweliad tan ddydd Sadwrn. Os dymunai Mrs. Jones gymryd ei lle am ddau o'r gloch gallai Madam edrych ar ei hôl.

"Faint ydi o?" gofynnodd Leusa.

"Pob pris. Ond gini ydi'r un gora."

"Duwcs annwl!"

Addawodd Leusa, er hynny, y dychwelai am ddau o'r gloch, ac aeth ymaith i'r tŷ-bwyta lle cawsai'r cacenni blasus hynny yn y bore i gael tamaid o ginio.

Eisteddodd Leusa am deirawr yn siop Madam, a chododd o'r gadair ychydig cyn pump o'r gloch, a'i gwallt yn donnau hardd fel haearn sinc. Diar, haeddai gwpanaid ar ôl prynhawn mor anturus a chyffrous. Pum munud i bump; gallai ddal bws pump o'r gloch pe brysiai i'r Maes, ond yn wir, heb damaid o fwyd, fe lewygai. Brysiodd eto i'r tŷ-bwyta.

* * * *

Pan gyrhaeddodd William Jones adref, nid oedd neb i mewn. Safodd yn hir wrth y bwrdd yn syllu ar y platiad o frôn a'r botelaid o 'nionod wedi eu piclo. Wedi golchi ei ddwylo wrth y feis, eisteddodd wrth y bwrdd yn hurt, gan gnoi'r brôn yn beiriannol, fel gŵr mewn breuddwyd. Penderfynodd gael cwpanaid o de, ond darganfu nad oedd diferyn o olew yn y stof. Aeth ati i wneud tân i ferwi'r tegell, a mwynhâi ei drydedd gwpanaid o de pan ruthrodd Leusa i mewn i'r tŷ. Taniodd ei bibell yn araf heb edrych arni.

"Wyt ti wedi colli dy dafod, dywed?" gofynnodd hi cyn hir.

---

gohirio: *to postpone*
ymweliad: *visit*
duwcs annwl: cf. diar annwyl, duwch annwl
addawodd Leusa: *Leusa promised,* (addo)
y dychwelai: y byddai hi'n dod yn ôl, (dychwelyd)
cawsai: roedd wedi cael
haeddai: roedd hi'n haeddu, *(to deserve)*
anturus: *adventurous*
pe brysiai: petai hi'n brysio
Maes: sgwâr Caernarfon
fe lewygai: *she would faint,* (llewygu)
syllu: *to stare*
y feis: *y tap dŵr*
yn hurt: *stunned*
yn beiriannol: *mechanically*
darganfu: ffeindiodd, (darganfod—*to discover*)
diferyn: *a drop*
mwynhâi: roedd (wrthi) yn mwynhau
taniodd: dechrau tân (yn ei bibell)
dywed: dyweda

"Brôn a phicyls."

"Y?"

"Brôn a phicyls."

"Diolcha fod gin ti ddannadd i gnoi picyls."

Cododd ei lygaid a rhythodd ar ei phen.

"Lle andros yr wyt *ti* wedi bod?"

"Yng Nghnarfon i drio cal trwsio fy nannadd. Ac mi gefis i byrm yr un pryd. Ac mi brynis yno het hefyd, os ydi hynny o ryw ddiddordeb iti."

Llyncodd William Jones ei boer a chaeodd ei ddannedd yn dynn.

"I ble'r wyt ti'n mynd?"

"I weld Ifan, 'y mrawd. Ac wedyn, i'r pictiwrs."

Caernarfon, brôn a phicyls, pictiwrs gyda'r nos—onid dyna oedd y stori am Maggie Jane, gwraig Now John?

"Os ei di i'r pictiwrs 'na heno ar ôl bod yng Nghnarfon drw'r dydd, mi fydda i'n . . ." Arhosodd, heb wybod yn iawn beth a oedd yn ei feddwl.

"Mi fyddi'n be, mi liciwn i wybod?"

"Yn mynd odd'ma."

"O? I ble?"

"I'r Sowth yr un fath â Now John Ifans. At Meri, fy chwaer. Rydw i wedi hen flino ar y galifantio 'ma byth a hefyd a'r gorwadd yn y gwely bob bora a'r bwyd rwsut-rwsut 'ma a'r . . . a'r . . . a phopeth. Does dim synnwyr yn y peth. Dos di i'r pictiwrs 'na heno, 'nginath i, ac mi a inna i'r Sowth ddydd Sadwrn. Ac mi arhosa i yn y Sowth. Am byth."

Yr oedd hon yn araith go hir i William Jones, a daethai rhyw gryndod dagreuol i'w lais cyn ei diwedd.

---

rhythodd: *he stared,* (rhythu)
Lle andros (G.C.): Ble ar wyneb y ddaear?
o ryw: *of any*
poer: *saliva*
os ei di: *if you go*
wedi hen flino: wedi cael digon
byth a hefyd: o hyd ac o hyd
rwsut-rwsut: h.y. rywsut-rywsut, *any old how*
synnwyr: *sense*
'nginath i (G.C.): h.y. fy ngeneth i, fy merch i
araith: *speech*
daethai: roedd wedi dod
cryndod: *trembling*
dagreuol: *tearful*

"Cadwa dy frôn a dy bicyls," chwanegodd yn chwyrn wrth godi a mynd o'r gegin tua'r llofft i newid ei ddillad.

Beth a oedd yn bod arno heddiw? gofynnodd Leusa Jones iddi ei hun wrth gychwyn allan i dŷ ei brawd.

Hen lanc oedd ei brawd, Ifan Davies, yn mynnu byw ar ei ben ei hun i arbed arian. Casglu 'siwrin oedd ei orchwyl, ac er nad oedd yn llwyddiannus iawn yn y gwaith, gwisgai a rhodiai fel pendefig. Dyn tal, main, ydoedd, un araf a phwysig ym mhopeth a ddywedai ac a wnâi.

Cafodd Leusa ei brawd yn glanhau tatws.

"Newydd ddŵad adra," meddai ef, "wedi bod yn Llan Rhyd. A meddwl y liciwn i gael tipyn o *chips* i de."

"Rydw inna'n ffond o *chips,*" oedd sylw Leusa.

Torrodd y tatws a thrawodd hwy yn y badell-ffrio. Wedi rhoi dŵr yn y tebot, aeth ati i dorri bara-ymenyn. Eistedd i'w wylio a wnâi Leusa, ond cododd Ifan Davies ei ben yn sydyn ac edrychodd tros ei sbectol wrth glywed ei chwaer yn sniffian crio.

"Be sy, Leusa?"

"William 'cw sy'n gas wrtha i."

Chwarddodd Ifan Davies. William Jones yn gas! Ni wyddai y medrai William Jones fod yn gas.

"Mi elli di chwerthin, ond . . ."

"Ond be?"

"Mae o am fynd i ffwr' i'r Sowth, medda fo, wedi ca'l hen ddigon ar fyw hefo mi. A finna'n gneud fy ngora iddo fo."

Chwarddodd ei brawd eto. "Dy William di yn mynd i'r Sowth!" meddai. "Be nesa, tybad?"

"Yr un fath â Now John."

"Pwy?"

"Now John Ifans. Mae o wedi mynd a gadael Maggie Jane. Ddoe."

---

yn chwyrn: yn gyflym a chas
hen lanc: dyn heb briodi
mynnu: yn benderfynol o
arbed: *to save (money)*
'siwrin: *insurance*
gorchwyl: gwaith
rhodiai: cerddai, (rhodio)
pendefig: arglwydd
dywedai: roedd e'n ei ddweud
ac a wnâi: ac roedd e'n ei wneud
sniffian: gwneud sŵn drwy'r trwyn
ni wyddai: doedd (I.D.) ddim yn gwybod
mi elli di: rwyt ti'n gallu
ffwr' (G.C.): h.y. ffwrdd
wedi cal hen ddigon: wedi cael llond bol

''Now John Ifans? Mae arno fo bres siwrin i mi. Heb dalu ers deufis.''

Tywalltodd Ifan Davies y *chips* i blât ar y bwrdd a dechreuodd fwyta'n rheibus.

''Dim collad ar 'i ôl o,'' meddai, ''dim ond bod y *Company* yn erbyn colli un cwsmar. Pedwar wedi mynd y mis yma . . . Be sy wedi digwydd i'th ddannadd-gosod di?''

''Fo,'' meddai Leusa Jones.

''William?'' Syllodd yn geg-agored arni. Nid oedd hi'n bosibl fod ei frawd yng nghyfraith wedi dechrau curo'i wraig.

''William?'' gofynnodd eilwaith.

''Ia. Roedd o fel dyn gwyllt pan gododd. Wn i ddim be sy wedi dŵad drosto fo. Na wn i, wir. Rhoi cic i'r bwrdd bach wrth ochor y gwely. Roedd y glás lle'r oedd fy nannadd i yn dipia ar y llawr. . . . O, wyt ti'n licio 'ngwallt i, Ifan?'' A thynnodd ei het.

''Wn i ddim. Faint gostiodd o?''

''Gini, cofia.''

''Duwch annwl!''

''Ac mi brynis i het fach ffelt, y ddela welist ti 'rioed.''

''Faint oedd hi?''

''Dim ond twelf and lefn.''

''Duwch annwl!'' Awgrymai wyneb Ifan Davies iddi ddweud canpunt o leiaf.

''A phan ddois i adra dyma fo'n colli'i dempar yn lân a deud 'i fod o am fynd i'r Sowth.''

''Hŷ, hŷ, hŷ!'' Daeth pwl o chwerthin dwfn dros Ifan Davies. ''Ac mae William am fynd i'r Sowth, ydi o!''

Rhoes Leusa yr het yn ôl ar ei phen a chododd i ymadael. ''Rhaid imi fynd, ne' mi fydda i ar ôl,'' meddai,

''Nos Iau, yr hen bictiwrs gwirion 'na, mae'n debyg?''

''Ond mae 'na lun spesial yno heno. Ronald Colman.''

---

mae arno fo bres 'siwrin: *he owes insurance money*
tywalltodd (G.C.): arllwysodd, (arllwys)
yn rheibus: *greedily*
collad: h.y. colled, *loss*
yn dipia: h.y. yn ddarnau mân
y ddela: yr (het) bertaf
dois i: des i, (dod)
yn lân: yn llwyr
pwl o chwerthin: *a bout of laughing*
rhoes: rhoiodd, (rhoi)
gwirion (G.C.): twp

"Lle mae William?"

"Tyt, yn mynd i'r Seiat, mae'n siŵr."

"Rydw i'n meddwl yr a' inna i'r Seiat heno. Fûm i ddim yno ers tro. Ac mae arna i isio cael gair hefo Lloyd y Gweinidog ynglŷn a 'siwrio'r ferch 'na sy gynno fo. Hŷ, hŷ, hŷ. William yn mynd i'r Sowth."

Dechreuodd Leusa hefyd chwerthin. Taflodd ei phen ddwywaith neu dair wrth adael y tŷ, ac yna brysiodd i gyfeiriad y sinema fawr newydd yng ngwaelod y pentref. Wedi galw yn siop Jackson i brynu siocled, talodd am docyn swllt wrth ddrws y sinema a dringodd y grisiau â'i phen yn y gwynt. Suddodd i'r sedd gyffyrddus a thynnodd ei het.

"Diar, doeddwn i ddim yn dy nabod di, Leusa," meddai Maggie Jane Ifans, a eisteddai y tu ôl iddi. "Wir, mae o'n neis. Mi ges inna byrm echdoe. Yng Ngnarfon."

Aeth y golau allan, ac eisteddodd Leusa Jones yn ôl i gael dwyawr o fwynhad digymysg.

---

yr a inna: yr af i hefyd
'siwrio: *to insure*
suddodd: *(she) sank,* (suddo)
mwynhad: *enjoyment*
digymysg: pur, *unmixed*

Pennod III

AMYNEDD

Cwynasai William Jones wrtho'i hun filwaith drwy'r blynyddoedd, gan ddioddef yn dawel a thrist.

Pam y priodasai ddynes fel yna, ynteu? Wel, y mae'r stori honno yn un go faith. Wedi dwy flynedd o ymladd yn Ffrainc, dychwelodd William Jones i Lan-y-graig yn dipyn o arwr. Preifat bach fuasai yn y Fyddin, wrth gwrs, ac ni feddyliodd neb am daro streipen ar ei fraich. Yna, yn wythnos olaf y rhyfel, syfrdanwyd ardal gyfan gan y newydd i William Jones ennill medal. Cafodd ef a'i fam weddw siwrnai i Lundain ac i blas y Brenin, a gofalai'r hen wraig ddangos y fedal i bwy bynnag a alwai yn y tŷ.

Un nos Sadwrn tua'r amser hwn y dechreuodd gymryd diddordeb yn y ferch siaradus, Leusa Davies. Digwyddai hi deithio wrth ei ochr yn y bws o Gaernarfon, ac yr oedd hi'n sâl—wedi bwyta gormod o hen geriach yn y dref, y mae'n debyg. Gofalodd William Jones yn dyner iawn amdani a'i hebrwng adref y noson honno. Ac ar waethaf cynghorion ei fam ac awgrymiadau Meri ei chwaer, gofynnodd iddi ei briodi, cytunodd hithau.

Go gyffrous fu'r cyfnod hwnnw ym mywyd William Jones. Daeth Leusa i fyw ato ef a'i fam, a dros y ffordd iddynt yr oedd cartref Meri a Chrad a'u dau blentyn, Arfon ac Eleri—Meri'n casáu'r Leusa Davies 'na â chas perffaith, a Chrad yn un go fyr

---

amynedd: *patience*
cwynasai: roedd wedi cwyno
filwaith: mil o weithiau
dioddef: *to suffer*
priodasai: roedd wedi priodi
dynes: menyw
maith: hir
yn dipyn o arwr: *quite a hero*
buasai: roedd e wedi bod
syfrdanwyd ardal: cafodd ardal ei syfrdanu, *(to stun)*
gweddw: gwraig wedi colli'i gŵr
siwrnai: taith
hen geriach: hen bethau diwerth
hebrwng: mynd gyda (Leusa)
ar waethaf: *despite*
cynghorion: *advice*
cyfnod: *period*
casáu: *to hate*
â chas perffaith: *with perfect hate*

ei dymer a diofal ei dafod. Cannwyll llygaid y teulu oedd y babi, Eleri, a manteisiai Leusa ar bob cyfle i'w sarhau. Dyna biti fod ei choesau braidd yn gam, onid e? A'i gwallt mor syth? A'i thrwyn mor fawr? A'i bod mor araf yn dod i siarad yn eglur? A phrin y gwelai Arfon, y bachgen dwyflwydd, aeaf arall.

Yna penderfynodd Crad adael y chwarel am y gwaith glo.

"Gwynt teg ar 'u hola nhw," oedd sylw Leusa, gan fwynhau ei bywyd fel boneddiges. "Fel boneddiges," gan mai'r hen wraig a ofalai am lanhau'r tŷ a gwneud bwyd. Ac felly y bu pethau am ddeng mlynedd, hyd at farwolaeth Ann Jones. Go chwithig y teimlai Leusa hi ar ôl claddu'r hen wraig: yr oedd yn rhaid iddi wneud rhyw gymaint o waith wedyn. Mwy chwithig y teimlai William Jones hi: ni wybuasai fod y fath duniau o fwyd â ffrwythau i'w cael mewn siop, a phur anaml y câi ef bryd o fwyd a fwynhâi, mewn gwirionedd. Yn 1929 y bu farw Ann Jones, ac aethai chwe blynedd go annifyr heibio er hynny.

* * * *

Aeth i fyny'r grisiau eilwaith, ac wedi iddo newid a chychwyn i lawr yn ei ôl, tybiodd y clywai besychiad yn y gegin. Pan gyrhaeddodd yno, dyna lle'r oedd Bob Gruffydd, ei bartner, yn eistedd yn y gadair freichiau.

"Wyt ti'n dŵad i'r Seiat, William?" gofynnodd.

"Ydw, fachgan. Ond mae hi'n ddigon buan, on'd ydi?'

"Ydi. Lle mae Leusa gin ti?"

"Wedi rhedag i dŷ Ifan, 'i brawd. Rhywun wedi deud wrthi nad ydi o ddim hannar da."

---

diofal: heb fod yn ofalus
cannwyll llygaid y teulu: h.y. roedd y teulu'n addoli *(worship)*
manteisiai L.: roedd L. yn manteisio, *(to take advantage)*
sarhau: *to insult*
yn gam: *crooked*
yn eglur: yn glir
prin y gwelai: doedd ddim yn debyg *(likely)* o weld
Gwynt teg . . . : *Good riddance* . . .
sylw: *remark*
boneddiges: *lady*
go chwithig: eithaf dieithr
rhyw gymaint: *some amount*
ni wybuasai: doedd (W.J.) ddim wedi gwybod
pur anaml: eithaf anaml
câi ef: byddai e'n cael
a fwynhâi: a oedd e'n ei fwynhau
aethai: roedd wedi mynd
go annifyr: eithaf diflas
tybiodd: h.y. meddyliodd
pesychiad: *a cough*
Seiat: cyfarfod anffurfiol *(informal)* yn y capel
buan: h.y. cynnar

"Taw, fachgan!"

"Ia. 'I . . . 'i . . . 'i stumog o."

"O. Ydi o yn 'i wely?"

"Y . . . ydi, ers oria. Mi fuo'n rhaid i Leusa fynd ar frys—heb glirio'r bwrdd na dim."

Nifer bach a oedd yn y Seiat—rhyw ddwsin o wŷr, hanner dwsin o ferched, a phedwar neu bump o blant.

Daeth Ifan Davies dal a phwysig i mewn ar ganol yr emyn cyntaf, a theimlai William Jones yn bur anghysurus. Taflodd olwg slei i gyfeiriad ei bartner, ond ymddangosai ef fel petai wedi anghofio bod Ifan Siwrin yn ei wely'n sâl.

Wmffra Roberts oedd prif areithiwr y Seiat. Gan na weithiai'r hen frawd bellach yn y chwarel, treuliai ei ddyddiau'n ymbaratoi ar gyfer y brodyr a'r chwiorydd yn Siloh. Gallai Mr. Lloyd y Gweinidog fod yn berffaith sicr y llanwai Wmffra Roberts chwarter awr o amser y Seiat.

"Y brawd Ifan Davies, gawn ni air bach gynnoch chi? . . . Dowch, frawd, dowch, gair bach."

Dywedodd Ifan Davies ei bod hi'n fraint fawr i'r saint gael cyfarfod yn y deml fel hyn. Lle bynnag yr oedd dau neu dri o'r ffyddloniaid . . . Nid oedd ond rhyw ugain ohonynt yn y Seiat, ond diolch fod ugain â'u traed ar y llwybr cul, yn chwilio am y manna yn yr anialwch. . . . Teimlai William Jones y rhoddai lawer am fedru siard fel ei frawd yng nghyfraith. Cawsai yrfa ddisglair yn y *Band of Hope* ac yn y *Penny Reading*—fel canwr ac adroddwr a storïwr—ond ni fedrai yn ei fyw areithio yn y Seiat.

"Bron imi ag anghofio'n lân, fachgan," meddai Bob Gruffydd yn ddiweddarach.

"Anghofio be, Bob?"

---

mi fuo'n rhaid: fe fu'n rhaid
gwŷr: dynion
anghysurus: anghyfforddus
ymddangosai ef: *he appeared,* (ymddangos)
areithiwr: *orator,* cf. areithio—*to make a speech*
ymbaratoi: yn paratoi
sicr: siŵr
braint: *privilege*
saint: h.y. pobl y capel
y deml: *the temple*
y ffyddloniaid: *the faithful*
anialwch: *wilderness*
rhoddai: byddai'n rhoi
cawsai: roedd wedi cael
gyrfa: *career*
ni fedrai yn ei fyw: *he couldn't for the life of him*
yn lân: yn llwyr

"Isio dy help di, os byddi mor garedig. Alun 'cw yn tyfu, fel y gwyddost ti, a dim lle gynno fo yn y llofft i gadw'i ddillad. Finna'n meddwl symud y jest o drors i'w lofft o. Os ca i dy help di, William."

"Â chroeso Bob. Mi ddo i hefo chdi ar unwaith." Ac i ffwrdd â'r ddau.

(Doedd Bob Gruffudd ddim eisiau symud cwpwrdd o gwbl. Fel yr esboniodd wrth ei wraig:)

"Isio rhyw esgus i'w gal o yma yr oeddwn i."

"I be?"

"Iddo fo gal tamad o swpar hefo ni. Dim ond tipyn o frôn gafodd o pan ddath o o'r chwaral. Ac mae'r bwrdd heb 'i glirio o hyd."

Wedi golchi ei ddwylo, dychwelodd i'r gegin, a dilynodd Jane Gruffydd ef a dechrau gosod y bwrdd.

"Gymwch chi damad o swpar hefo ni, William Jones?" gofynnodd.

"Dim diolch, mae'n rhaid imi fynd. Mi fydd Leusa yn fy nisgwyl i."

"Ond mae gin i rwbath arbennig heno. Ffa wedi'u berwi fel y byddai mam yn 'u berwi nhw. Un o Sir Fôn oedd mam, ac mi fyddai'n berwi ffa hefo tamad o gig moch bob amsar. Mae'n rhaid i chi drio platiad bach."

Mwynhaodd William Jones y ffa'n fawr iawn; yn wir, bwytaodd ddau blatiad ohonynt gyda blas, a throes tuag adref yn teimlo'n llawer hapusach. Pan gyrhaeddodd y Stryd Fawr, llifai tyrfa'r sinema hyd y ffordd. Byddai Leusa gartref erbyn hyn, y mae'n debyg, a châi hi glywed un neu ddau o wirioneddau pwysig ganddo. Yr oedd yn hen bryd iddo ddangos ei awdurdod a phrofi ei fod yn frenin yn ei dŷ ei hun.

Ond nid oedd hi yn y tŷ. Dechreuodd glirio'r bwrdd, ond cofiodd y byddai angen swper ar Leusa. Ysmygodd yn fyfyriol

---

gwyddost ti: rwyt ti'n gwybod
chdi (G.C.): h.y. ti
esboniodd: *(he) explained,* (esbonio)
esgus: *excuse*
gymwch chi?: gymerwch chi?
(cymryd—*to take*)
gyda blas: *with relish*

câi: byddai hi'n cael
gwirioneddau: *truths*
awdurdod: *authority*
profi: *to prove*
angen: eisiau
myfyriol: *pensive*

wrth yr aelwyd, gan syllu o amgylch y gegin. Ia, hawdd iawn oedd bygwth mynd i'r Sowth. Yma, yn y gegin hon, y chwaraesai wrth draed ei fam, ef a Meri ei chwaer; yma yr oedd ei atgofion, ei fywyd oll. Yma . . . Clywodd gamau cyflym Leusa yn y cefn.

"Lot yn yr hen siop *chips* 'na," meddai. "Ac mi fu'n rhaid imi aros."

Ni ddywedodd William Jones air, dim ond syllu'n ddig arni'n gwagio cydaid o *chips* i bowlen. Swper go wahanol i'r un a gawsai Bob Gruffydd, meddai wrtho'i hun.

"Lle buost ti, Leusa?"

"Yn y pictiwrs, debyg iawn. *Any objection?*"

"Mi wyddost be ddeudis i cyn iti fynd yno."

"Gwn." A chwarddodd Leusa'n uchel.

"Be sy?"

"Mi ddeudis i wrth Ifan, ac roeddan ni'n dau yn chwerthin nes oeddan ni'n sâl. Roedd Ifan yn 'i ddybla."

Yr oedd clywed am Ifan Davies yn ei ddyblau'n chwerthin am ei ben yn gwneud iddo gau ei ddyrnau a llyncu ei boer.

"Tyd at dy swpar," meddai Leusa, yn rhannu'r *chips* rhyngddynt.

"Cadw dy blydi *chips*," meddai. A thynnodd ei esgidiau'n ffyrnig a'u taflu o dan gadair cyn brysio o'r gegin ac i fyny'r grisiau.

---

aelwyd: *hearth*
syllu: edrych
bygwth: *to threaten*
chwaraesai: roedd wedi bod yn chwarae
atgofion: *memories*
oll: i gyd
yn ddig: yn grac, yn flin
gwagio: *to empty*
cydaid: *a bagful of*
yn 'i ddybla: *(he was) doubled up (with laughter)*
dyrnau: *fists*
poer: *saliva*
tyd (G.C.): dere (D.C.), (dod)
yn ffyrnig: yn gas iawn

Pennod IV

GOLDEN STREAK

Yn syth i'w wely yr aeth William Jones ond ni allai gysgu. Arhosodd Leusa i lawr yn o hwyr, yn mwynhau rhyw nofel Saesneg am wraig a chanddi gariad ar y slei, a chymerodd ei gŵr arno chwyrnu'n groch pan ddaeth hi i'w gwely. Syrthiodd Leusa i gysgu ar unwaith, gan freuddwydio am Ronald Colman.

Ia, peth hawdd oedd bygwth mynd i'r Sowth, ac nid rhyfedd bod Ifan Siwrin yn chwerthin am ei ben. Beth a wnâi ef yn y Sowth, yng nghanol y paganiaid powld a swnllyd a oedd yn byw ar draws ei gilydd yn hagrwch cymoedd culion? Eto, rhoddai Meri ei chwaer air da i Fryn Glo, ond heb waith yr oedd cannoedd yno, a Chrad yn eu plith, a heb waith, efallai, y byddai yntau ped âi.

Llithrodd i gysgu cyn hir, a breuddwydiodd fod Ifan Siwrin yn ei arwain fel mwnci wrth gadwyn drwy gwm yn y Sowth. Dilynid hwy gan dyrfa fawr yn chwerthin am ei ben ac yn taflu wyau drwg ato. Crechwen Leusa oedd yr uchaf, a gwelai hi yn ymwthio drwy'r dorf ac yn lluchio dyrnaid o *chips* i'w wyneb. Deffroes yn chwys i gyd, i wrando ar y cloc yn taro pedwar ac ar Leusa'n dal i anadlu'n swnllyd wrth ei ochr.

Wedi rhyw awr o droi a throsi penderfynodd godi. Chwarter wedi pump, meddai cloc y gegin. Wedi cynnau tân a chludo'r

---

a chanddi: a oedd ganddi hi/'da hi
cymerodd ei gŵr arno: *her husband pretended,* (cymryd ar—*to pretend*)
chwyrnu'n groch: *to snore loudly*
Beth a wnâi ef?: Beth fyddai e'n ei wneud?
powld: *bold*
ar draws ei gilydd: ar ben ei gilydd
hagrwch: lle hyll/salw
yn eu plith: *in their midst*
ped âi: petai e'n mynd
wrth gadwyn: *on a chain*
dilynid hwy: roedden nhw'n cael eu dilyn
crechwen: *derisive laughter*
yr uchaf: y mwyaf swnllyd
ymwthio: yn gwthio'i hun
lluchio (G.C.): taflu
deffroes: deffrodd, (deffro)
chwys: *sweat*
troi a throsi: *tossing and turning*
cludo: cario

pethau i'r bwrdd, eisteddodd yn y gadair freichiau i aros i'r tegell ferwi. Rhyfedd fel y collasai'r gegin ei graen yn ddiweddar! Cofiai'r cadeiriau a'r dresel a'r jygiau copr arni a'r canwyllbrenni ar y silff-ben-tân, y cwbl yn sglein i gyd. Ond yn awr, llwch ar bopeth. Hylo, onid arferai pum pâr o ganwyllbrenni addurno'r silff-ben-tân? Nid oedd ond tri yno yn awr, ac yr oedd ef yn berffaith sicr. . . . O, Leusa wedi eu rhoi o'r neilltu, y mae'n debyg. . . . Gormod o waith i'w glanhau—er nad oedd llawer o ôl rhwbio ar y rhai hyn. Ac eto . . .

Torrodd fara-ymenyn ac yna trawodd ddarn o gig moch yn y badell ffrio. Penderfynodd gael ŵy hefyd, ond ni ddarganfu un. Dim gwahaniaeth, dim ods o gwbl.

Yr oedd ar ganol ei frecwast pan chwalwyd y distawrwydd gan sŵn y cloc-larwm yn y llofft. Gwenodd. Ni wnâi ddrwg i Leusa gael ei hysgwyd allan o'i chwsg swnllyd. Clywodd gamau brysiog yn dod i lawr y grisiau.

"Be sy?" gofynnodd hi pan ddaeth i mewn i'r gegin.

"Y?"

"Yr hen gloc 'na yn fy neffro i, a dim golwg ohonat ti yn y llofft."

"Mi godis i cyn i'r larwm fynd."

"Pam na fasat ti'n symud y nobyn ar ben y cloc 'ta? A'r doctor wedi deud wrtha i . . ."

"Doctor?"

"Mi es i ato fo'r diwrnod o'r blaen. Peidio ag ecseitio, medda' fo."

"O."

Troes yn ei hôl tua'r grisiau, gan daflu ei phen a cheisio ymddangos yn urddasol.

"Leusa!"

---

collasai'r gegin: roedd y gegin wedi colli
graen: *lustre, gloss,* cf. sglein
canwyllbrenni: *candlesticks*
onid arferai: onid oedd . . . yn arfer bod
rhoi o'r neilltu: rhoi allan o'r ffordd
rhwbio: *to rub*
ni ddarganfu: ffeindiodd e ddim, (darganfod—*to discover*)
ni wnâi ddrwg: *it wouldn't do any harm,* (gwneud drwg)
ysgwyd: *to shake*
brysiog: *hurried*
dim golwg: *lit. no sight,* dim arwydd
nobyn: *knob*
'ta: *then*
y diwrnod o'r blaen: *the other day*
urddasol: *graceful*

"Ia?"

"Sawl pâr o ganwyllbrenni oedd gynnon ni ar y silff-ben-tân 'ma?"

"Pump."

"Dim ond tri sy 'na rwan."

"Gormod o waith llnau arnyn nhw o lawar."

"Lle mae'r lleill?"

"Mi gwerthis i nhw."

"O? I bwy?"

"I ryw ddyn o Fangor ddaru alw yma. Roedd o isio prynu'r dresal, ond mi wrthodis i. Dyn clên iawn." A diflannodd Leusa i fyny'r grisiau.

Torrodd William Jones frechdanau ar gyfer ei dun-bwyd yn hamddenol, a chwiliodd eto yn y gegin fach ac yn y cwpwrdd dan y grisiau am rywbeth blasus i'w roi rhyngddynt. Tamaid o gaws go sych oedd ffrwyth yr ymchwil.

"Be sy hiddiw, William?" oedd cwestiwn Bob Gruffydd iddo yn y wal wedi ysbaid hir o dawelwch rhyngddynt.

"Dim byd. Pam?"

"Dy weld di'n o dawal a phell, fachgan. Wyt ti am ddŵad i lawr i'r twll, William?"

"Mi ddo i ar dy ôl di, Bob, wedi imi orffen."

"O'r gora."

* * * *

Tawelwch i feddwl a geisiai William Jones. Beth arall a roes Leusa i'r dyn hwnnw o Fangor, tybed? Pam y cuddiasai hi'r peth rhagddo ef? Cofiai mor falch oedd ei fam o'r canwyllbrenni hynny ac fel y glanhâi hwy'n gyson. Pam y gwerthasai Leusa hwy? Rhoddai ef arian da iddi bob wythnos—yn wir, ei gyflog bron i gyd—ac ni wariai hi lawer ar fwyd iddo ef, yr oedd

---

llnau (G.C.): h.y. glanhau
o lawer: *by far*
ddaru alw (G.C.):
(a) wnaeth alw (D.C.)
clên: hyfryd, dymunol
hamddenol: heb ruthro
ymchwil: *research*
ysbaid: ychydig o amser
yn o dawal: yn eithaf tawel
am ddŵad: yn bwriadu dod
rhoes: rhoiodd, (rhoi)
cuddiasai: roedd wedi cuddio
rhagddo ef: oddi wrtho fe
balch: *proud*
glanhâi: roedd yn arfer glanhau
yn gyson: *regularly*
gwerthasai: roedd wedi gwerthu

hynny'n amlwg ddigon. Yr oedd pethau'n mynd o ddrwg i waeth yn ei hanes ef a Leusa, ac yr oedd hi'n hen bryd iddo wrthryfela, taro'i ddwrn ar y bwrdd, dangos ei awdurdod, rhoi ei wraig yn ei lle. Dyna'r ffordd i drin rhywun fel Leusa, yn lle rhoi i mewn iddi o hyd. Pan âi adref heno . . .

Teimlai'n sychedig, a phenderfynodd fynd i'r caban am ddiod o ddŵr: câi air hefyd â'r hen Ddafydd Morus a ofalai am y lle.

"'Ga i ddiod o ddŵr gynnoch chi, Dafydd Morus?"

"Mi gei di rywbath gwell na dŵr, William, 'machgian i." A thynnodd fwg a chwpan i lawr oddi ar silff. "Diod o lemonêd. Mi fydda i'n dŵad â dau lemon hefo mi i'r chwaral yn reit amal yn yr ha' fel hyn . . . Wyt ti'n licio fo?"

"Reit dda, wir, Dafydd Morus."

"Ron i'n clywad dy fod ti'n hwyr at dy waith ddoe. Cysgu'n hwyr, William?"

"Y cloc-larwm ddaru stopio, ac mi gysgis tan nes oedd hi wedi'r caniad."

"O. Y wraig hefyd, William?"

"Ia. Dydy hi ddim hannar da."

"Y?"

"Ddim hannar da," gwaeddodd William Jones yng nghlust yr hen ŵr.

"Taw, fachgian. Nid 'i chalon hi, gobeithio?"

Nodiodd William Jones, ac yna ysgydwodd ei ben yn drist.

"Cymar di ofal ohoni hi, William, 'machgian i. Dyna oedd ar Elin, y ferch 'cw, a finna'n deud y drefn wrthi hi am fethu fy neffro i amball fora. Mi rois i dafod iddi hi y bora y bu hi farw, wsti. Ond wyddwn i ddim 'i bod hi'n sâl, na wyddwn? 'Tasai hi

---

yn amlwg ddigon: *abundantly clear*
gwrthryfela: *to rebel*
dwrn: *fist*
awdurdod: *authority*
trin: *handle*
âi: byddai'n mynd
câi: byddai'n cael
'machgian i: h.y. fy machgen i
yn reit amal: yn eithaf aml, cf. reit dda
ddaru (G.C.): wnaeth
caniad: h.y. amser dechrau gweithio
taw!: bydd yn dawel, *you don't say,* (tewi)
cymar di: cymera di, (cymryd—*to take*)
deud (G.C.) y drefn: dweud y drefn, *to lay the law down*
mi rois i dafod: h.y. fe ddywedais i'r drefn
wsti (G.C.): h.y. wyddost ti, rwyt ti'n gwybod
wyddwn i ddim: doeddwn i ddim yn gwybod

wedi mynd at y doctor yn lle diodda'n dawel . . . Gymeri di ddiferyn arall, William?''

''Dim, diolch, Dafydd Morus.''

Dychwelodd i'w wal ac aeth ymlaen â'i hollti, er iddo fwriadu mynd i lawr i'r twll at ei bartner. Beth a ddywedasai'r doctor yna wrth Leusa, hefyd? Dweud wrthi am beidio â'i chynhyrfu ei hun, onid e? Daeth i'r casgliad cyn bo hir fod calon Leusa'n un bur wan, ac nad oedd yntau'n hawdd iawn i fyw gydag ef, ac mai ei ddyletswydd oedd mynd â hi am dro i Landudno drannoeth. Erbyn hanner dydd, pan ganodd y corn ac y daeth Bob Gruffydd i'r wal o'r twll, teimlai'n addfwyn ac edifeiriol iawn. Cofiasai hefyd fod gan Leusa bob math o boteli yn y llofft—pils at y peth yma, tabledi at y peth arall. Oedd, yr oedd yn rhaid bod Leusa'n bur wael.

''Hylo, yr hen Bob!'' meddai wrth ei bartner, yn hynod garedig a chroesawgar. Edrychodd hwnnw arno mewn syndod.

''Wyt ti'n dŵad i'r caban, William?'' gofynnodd.

Un tawel a myfyriol uwchben ei fwyd yn y caban oedd William Jones fel rheol, ond dangosodd ddiddordeb eithriadol, er enghraifft, yn helyntion ieir John Williams.

Yna, ar ôl gorffen bwyta, cododd a chrwydrodd draw i loetran yn astud wrth ymyl y betwyr.

''Ac mi glywodd Huws y peth gan 'i gefndar sy'n 'nabod rhywun sy'n perthyn i'r dyn sy'n gweithio yn stabal *Golden Streak.*'' Yr oedd Huw Lewis yn bur awdurdodol. ''Yr ydw i'n

---

diodda: h.y. dioddef
diferyn: *a drop*
dychwelodd: aeth yn ôl, (dychwelyd)
wal: y man lle roedd yn gweithio
hollti: *to split (the slate)*
dywedasai: roedd wedi dweud
cynhyrfu: cyffroi, *to excite*
casgliad: *conclusion*
yn bur wan: yn eithaf gwael
dyletswydd: *duty*
trannoeth: y bore/dydd nesaf
addfwyn: *gentle*
edifeiriol: *repentant*
yn bur wael: yn eithaf gwael
yn hynod: *remarkably*
croesawgar: yn llawn croeso
myfyriol: *pensive*
fel rheol: fel arfer
eithriadol: *exceptional*
helyntion: yr hyn oedd yn digwydd i
ieir: *hens*
loetran: aros o gwmpas heb wneud dim
yn astud: gwrando'n ofalus iawn
betwyr: pobl sy'n betio/*to bet*
yn bur: yn eithaf
awdurdodol: *authoritative*

deud wrthach chi y bydd *Golden Streak* wrth y post cyn i'r lleill wbod bod y râs ymlaen.''

·Dychwelodd William Jones i'w wal yn llawen.

''Hylô, yr hen Bob,'' meddai eto wrth ei bartner, a theimlai hwnnw'n berffaith sicr erbyn hyn fod rhyw afiechyd mawr ar feddwl ei gyfaill.

''Yr ydw i am fynd i Landudno 'fory, Bob,'' meddai.

''O? Be wnei di yn y fan honno, dywad?''

''Rhoi diwrnod i Leusa wrth lan y môr. Mi wneiff les mawr iddi hi.''

Gwnâi diwrnod *yn* y môr fwy o les iddi, meddai Robert Gruffydd wrtho'i hun.

''Mae hi'n dipyn brafiach arnon ni'r dynion nag ydi ar y merched, wsti, Bob,'' chwanegodd William Jones. ''Mae gynnon ni ddigon i'w wneud yn y chwarel a digon o gyfle am sgwrs hefo'n gilydd a thipyn o hwyl yn y caban a'r cwt-'mochal-ffaiar. Ond 'i hun bach yn y tŷ y mae'r wraig druan, a'r diwrnod yn hir iddi hi.''

Oedd, yr oedd William yn dechrau drysu, sylwodd Robert Gruffydd yn drist.

Edrychai William Jones ymlaen yn eiddgar at bump o'r gloch, a gwenodd yn gyfeillgar ar bawb drwy'r prynhawn. Canodd y corn o'r diwedd, a throes ef a'i bartner tua'r swyddfa am eu cyflog ac yna tuag adref, gan longyfarch ei gilydd ar fis llewyrchus yn eu hanes.

Clywodd William Jones rywun yn galw ei enw pan gyrhaeddodd ganol y pentref. Adnabu'r llais ar unwaith fel eiddo Sally Davies, hen wraig gyfoethocaf yr ardal a pherchen tair ystryd o dai. Croesodd y stryd ati.

''Dydw i ddim yn licio sôn wrthach chi, William Jones, ond

---

gwbod: h.y. gwybod
afiechyd: salwch
am fynd: yn bwriadu mynd
dywad: dywed(a), *say,* (dweud)
gwnâi: byddai . . . yn gwneud
lles: daioni, *good*
cwt-'mochal-ffaiar: caban ymochel, caban i fynd iddo pan fydden nhw'n saethu yn y chwarel
'i hun bach: h.y. ar ei phen ei hun
drysu: *to confuse*
yn eiddgar: *eagerly*
llongyfarch: *to congratulate*
llewyrchus: *prosperous*
adnabu: *he recognized,* (adnabod)
fel eiddo: *as that belonging to*
cyfoethocaf: mwyaf cyfoethog
perchen: *owner*
gwraig weddw: gwraig wedi colli'i gŵr

gwraig weddw ydw inna, ac mae'r hen drethi 'ma mor drwm a hen gosta byth a hefyd ar dai. Eich mam druan! Y gynta yma'n talu'r rhent bob mis. Ac rydach chitha, chwara teg i chi, wedi talu'n brydlon iawn. Mae hi'n anodd imi sôn am y peth wrthach chi, William Jones, ond gwraig weddw ydw i, ynte? . . ."

"Mae'n ddrwg gin i, Mrs. Davies, ond wn i ddim . . ."

"Ia, William Jones. Ddeudis i ddim wrthach chi am ddau fis, ond roedd hi'n dri mis Llun dwytha, on'd oedd?"

"Mi ddo i â'r arian heno, Mrs. Davies. Yn ddi-ffael." A brysiodd ymaith.

Y nefoedd fawr! Y rhent heb ei dalu ers tri mis! Hyd ychydig fisoedd cyn hynny ef a ofalai am y rhent, ond rhoddai'r arian i Leusa yn awr.

* * * *

Daeth sŵn peiriant gwnio i'w glustiau pan gyrhaeddodd y tŷ. Eisteddai Leusa wrth fwrdd y gegin, ac ym mhen y bwrdd yr oedd platiad o fara-ymenyn a phlatiad o samon a rhai llestri te. Yr oedd darnau o edau a sidan ym mhobman hyd y llawr, ac yng nghongl y gegin crochleisiai rhyw ferch drwy'r set-radio.

Trawodd William Jones ei dun-bwyd ar gornel y dresel yn chwyrn, ac yna aeth yn syth i fyny'r grisiau i'r llofft gefn. Yno, dan glo mewn drôr fechan, cadwai ddecpunt bob amser: credai mewn cael arian wrth law at unrhyw alwad sydyn. Cymerodd bedair ohonynt, ac, wedi cloi y drôr yn ofalus, brysiodd i lawr y grisiau.

"I ble'r wyt ti'n mynd?"

"I dalu'r rhent."

Aeth Leusa ymlaen â'i gwnio.

Pan ddychwelodd William Jones, cafodd y fraint o fwyta'r

---

trethi: *rates*
costa: costau, *expenses*
byth a hefyd: o hyd ac o hyd
druan!: *poor!*
yn brydlon: *promptly*
dwytha (G.C.): h.y. diwethaf
yn ddi-ffael: *without fail*
ymaith: i ffwrdd
ef a ofalai: FE oedd yn arfer gofalu
samon: *salmon*
edau: *thread*
crochleisiai: roedd . . . yn canu'n swnllyd
yn chwyrn: yn gas a chyflym
llofft (G.C.): ystafell wely
drôr: *drawer*
wrth law: *in reserve*
braint: *privilege*

samon i gyfeiliant y peiriant gwnio a'r radio, a chyn hir rhoes ei gyllell a'i fforc i lawr yn ddig.

"Rho dipyn o heddwch i ddyn gael 'i fwyd, wir," meddai, gan godi i dawelu'r gantores ar y radio.

"Mae'n rhaid imi orffan hefo'r patrwm yma," oedd ateb Leusa. "Mi gefis 'i fenthyg o pnawn 'ma gan 'Fanwy May, ac rydw i wedi addo mynd â fo yn 'i ôl heno. A phan ydw i'n cal patrwm, y mae'n rhaid i ti . . ." A dechreuodd Leusa sniffian.

Fel rheol, rhoddai'r sniffian crio daw ar ddadleuon William Jones, a chodai mewn brys i roi ei fraich am wddf Leusa. Ond y tro hwn ni wnaeth ond edrych arni heibio i'r peiriant gwnio.

"Tra byddi di'n rhoi gorffwys i'r peiriant yna," meddai, "efallai yr hoffet ti egluro be ddigwyddodd i arian y rhent."

Pwl arall o grio oedd ateb Leusa, gan swnian rhywbeth am bethau'n mynd yn ddrud a hithau'n ei gweld hi'n anodd i gael y ddau ben llinyn ynghyd.

"Rho'r gora i'r sŵn 'na ac ateb fy ngwestiwn i."

Ond ni fedrai William Jones gael gair synhwyrol ganddi, cododd ac agor drôr y dresel.

"Be wyt ti isio yn fan 'na?" gofynnodd Leusa'n frysiog.

"Y llyfr rhent. Mi anghofis fynd â fo hefo mi gynna. Mi bicia i eto i dŷ Sally Davies . . . Hylô, be ydi hwn?"

"Be?"

"Y papur bach ma . . . *Golden Streak.*"

"Wn i ddim. O, yr ydw i'n cofio rŵan. 'I godi o ar y ffordd y diwrnod o'r blaen a meddwl . . ."

Gwelodd William Jones fod wyneb ei wraig yn fflam.

"Paid ag ecseitio, rhag ofn i'th galon di stopio." Ac aeth tua'r drws â'r llyfr rhent yn ei law.

"Wyt ti'n siŵr nad carlamu i mewn yma ddaru o?" gwaedd-odd o'r drws.

---

cyfeiliant: *accompaniment*
yn ddig: yn grac/yn flin
rho!: *give!* (rhoi)
'Fanwy: h.y. Myfanwy
addo: *to promise*
fel rheol: fel arfer
taw: *stop*
dadleuon: *arguments*
gorffwys: *rest*
egluro: *to explain*
pwl: *bout*
swnian: gwneud sŵn
cael y ddau ben llinyn ynghyd: *to make ends meet*
synhwyrol: *sensible*
yn frysiog: ar frys
gynna: h.y. gynnau, amser byr yn ôl
mi bicia i (G.C.): *I'll pop over,* (picio)
carlamu: *to gallop*
ddaru o (G.C.): wnaeth e

Pennod V

DEUD GWD-BEI

Wedi i'r hen Sally Davies arwyddo llyfr y rhent a chael cyfle arall i rwgnach am gostau byw, troes William Jones gamau araf tua'r mynydd. Yr oedd yr hwyr yn fendigedig, ond er iddo ddweud wrth amryw ar y ffordd fod y noson yn braf, ni theimlai ef hynny. Rhoi ei arian ef ar geffylau.

Aeth heibio i lonyddwch yr ysgol, ond nid oedd ganddo atgofion melys am y lle. Cansen fawr Huws Bach y Sgŵl, cyfarth y Miss Edwards honno a ddysgai Standard III, aroglau dillad plant ar ddiwrnod glawog, bwrn y Saesneg tragwyddol, diflastod y wers olaf bob bore a phob prynhawn bron—pethau felly a ddeuai i'w feddwl. Dysgodd ddarllen yno—ond yn awr ni ddarllenai ond y papur newydd wythnosol. Dysgodd ysgrifennu—ond nid ysgrifennai ond pwt o lythyr weithiau at Feri ei chwaer. Dysgodd gyfrif—i fesur llechen a sicrhau bod ei gyflog yn iawn a llyfr siop yn gywir.

Yr oedd yn gerddor—neu, beth bynnag, yr oedd ynddo ddeunydd cerddor. Ef oedd seren ddisgleiriaf *Band of Hope* Siloh, enillydd cyson mewn cystadlaethau cerddorol ac unawdydd pêr ym mhob sosial. Ond beth a wnaeth yr ysgol ddyddiol â'i athrylith? Dim. Dim. Ni allai William Jones gofio ond un gân a ddysgasai yn yr ysgol, a *"Now the day is over"* oedd honno. Felly y collodd Gwlad y Gân un o'i chantorion melysaf.

---

arwyddo: *to sign*
grwgnach: cwyno
yr hwyr: y noson
amryw: nifer (o bobl)
llonyddwch: tawelwch
cansen: *cane*
y Sgŵl: yr Ysgolfeistr
cyfarth: *bark(ing)*
bwrn: *burden*
tragwyddol: di-ddiwedd
diflastod: *misery*
deuai: oedd yn dod
pwt o lythyr: llythyr byr
cyfrif: rhifo
sicrhau: *to ensure*
cerddor: *musician*
deunydd: *material*
cyson: *regular*
unawdydd: person yn canu ar ei ben ei hun
pêr: hyfryd
sosial: cyngerdd byr, anffurfiol yn y capel
athrylith: gallu arbennig
a ddysgasai: yr oedd wedi'i dysgu

Yr oedd William Jones yn adroddwr—neu, beth bynnag, yr oedd ynddo ddeunydd adroddwr. Fe safai Wili'n gadarn ar ei draed, gan edrych yn syth i wyneb y cloc a chodi ei lais i bawb ei glywed. A chyn cysgu'r nos, fe freuddwydiai Wili amdano'i hun yn adrodd o flaen y Brenin. Ond beth a ddigwyddodd yn yr ysgol bob dydd? "Twincyl, twincyl, licyl star" oedd yr ateb a ddeuai i feddwl William Jones. Ac felly y collodd Cymru adroddwr gwir fawr.

Yr oedd Wili Jôs yn nofelydd—neu, beth bynnag, yr oedd ynddo ddeunydd nofelydd. Y wers a fwynhâi fwyaf oedd honno a gâi yn ystod yr hanner awr olaf ar ddydd Gwener yn Standard IV. Darllen stori a wnâi'r athro, Mr. Richards, stori Saesneg am drysor cudd mewn ynys bell. Darllenai Mr. Richards baragraff yn araf ac yna troai'n ôl i'w ddechrau i adrodd ei gynnwys yn Gymraeg. Ni ddeallai Wili Jôs y Saesneg, ond perliai ei lygaid pan siaradai Long John Silver Gymraeg. Cyn cysgu'r nos ac wedi deffro yn y bore, creodd benodau cyffrous a rhamantus am helyntion y gwŷr a geisiai'r trysor yn yr ynys bell. Wili ei hun, wrth gwrs, a ddaeth o hyd i'r aur a'r perlau, ac ef a laddodd Long John Silver â'i gleddyf. Aeth y nofelydd, fel y cerddor a'r adroddwr, i drin llechi.

* * * *

Dringodd William Jones heibio i'r eglwys, a heb yn wybod iddo'i hun bron, troes i mewn i'r fynwent ac ymlwybro i'r pen pellaf at fedd ei dad a'i fam. Wrth syllu ar enw ei dad ar y llechen, llithrodd ei feddwl yn ôl i'w fachgendod, a safodd yn hir wrth fin y bedd a'i feddwl yn llawn atgofion.

Ni buasai Wili a'i dad yn gyfeillion mawr; yn wir, bron nad

---

adroddwr: person yn adrodd *(to recite)*
cadarn: *steadfast, firm*
a fwynhâi: yr oedd yn ei mwynhau
a gâi: yr oedd ef yn ei chael
a wnâi: yr oedd yn ei wneud
trysor: *treasure*
cudd: *hidden*
cynnwys: *content*
perliai: roedd yn disgleirio
creodd: *he created,* (creu)
penodau: *chapters*
helyntion: h.y. antur, *adventures*
gwŷr: dynion
a geisiai: a oedd yn chwilio am, (ceisio)
trin: trafod, *to handle*
y pen pellaf: *the furthermost end*
bachgendod: yr amser pan oedd yn blentyn/fachgen
min: ochr, glan

oeddynt yn ddieithriaid yn byw yn yr un tŷ. Y gŵr a ofalai ei fod yn mynd i'r Cyfarfod Gweddi a'r Seiat oedd Richard Jones i'w fab, y dyn a wgai arno bob tro y rhwygai ei drowsus, ac a'i daliodd un hwyr yn ysmygu papur llwyd yn y tŷ-bach. Ni welai'r bachgen ei dad yn ystod y dydd, wrth gwrs, ac yna, gyda'r nos, yr oedd rhywbeth yn y capel i'w cadw ar wahân.

Yna, pan oedd Wili'n ddeuddeg oed, newidiodd pethau. Arhosai ei dad, a fuasai'n cwyno ers tro, gartref bob dydd, a châi'r bachgen ei gwmni bob pryd bwyd ac yn aml ar y ffordd i'r ysgol. Nid oedd Wili ar un cyfrif i gynhyrfu'i dad, rhag ofn i bwl o besychu ysgwyd ei gorff bregus.

Prin y sylweddolai Wili fod llaw tlodi yn tynhau ei gafael ar ei gartref bob dydd. Câi ef a Meri eu dimai bob un ar ddydd Sadwrn o hyd, a galwai eu mam yn siop Huws Becar i brynu teisen-bwdin iddynt bob prynhawn Llun. Ni phoenai Wili fod ei ddillad yn fwy clytiog ac y gwisgai glocsiau yn lle esgidiau; yn wir, teimlai y rhoddai hynny hawl iddo i fod yn fwy eofn a mentrus yn ei chwarae. Gallai ddringo coed ac ymwthio drwy wrychoedd drain yn awr heb boeni os rhwygai ei drowsus.

Yr hyn a ddiflasai holl enaid Wili oedd y golchi a'r manglio a'r smwddio tragwyddol a âi ymlaen yn y tŷ. Byddai ei fam wrthi bob bore ymhell cyn iddo ef godi; ac wedi gosod brecwast iddo ef a Meri, ymaith â hi i'r cefn neu i'r cwt i ddilyn ei gwaith. Llawer hwyr ar ôl yr ysgol, yr oedd yn rhaid iddo ef droi'r mangyl yn lle brysio i'r coed, lle'r oedd gwersyll *Scouts* Huw Êl.

Sosbenni, padelli, heyrn smwddio, dillad yn hongian yn y cefn ar dywydd sych ac yn y gegin ar dywydd gwlyb—dyna'r

---

dieithriaid: *strangers*
a wgai: a oedd yn gwgu, *(to frown)*
y rhwygai: y byddai yn rhwygo, *(to tear)*
un hwyr: un noson
ers tro: ers amser
ar un cyfrif: *on any account*
cynhyrfu: cyffroi, *to excite*
pwl: *bout*
ysgwyd: siglo
bregus: *frail*
y sylweddolai: yr oedd yn sylweddoli, *(to realize)*
tlodi: *poverty*
tynhau: *to tighten*
câi: byddai'n cael
dimai: *halfpenny*
clytiog: *patchy*
clocsiau: *clogs*
eofn: *bold*
gwrychoedd drain: *thorn hedges*
a ddiflasai: a oedd yn gwneud (W.J.) yn ddiflas
enaid: *soul*
tragwyddol: di-ddiwedd
a âi: a oedd yn mynd
cwt: *hut*
hwyr: noson

pethau a lenwai feddwl William Jones wrth iddo gofio'r amser hwnnw. Eisteddai Richard Jones drwy'r rhan fwyaf o'r dydd yn ei gadair freichiau wrth y tân, yn plygu ymlaen at y gwres, yn ŵr tawel a thrist a rhynllyd. Wedi pwl o besychu un diwrnod, syllodd yn hir ar yr ysmotyn o waed ar ei gadach poced a chyn hir aeth yr ysmotyn yn ystaen.

Pan aeth ei dad i orwedd, ymddiswyddodd Wili o'r *Scouts* gan sylweddoli bod yn rhaid iddo ef a Meri helpu eu mam. Ni sylwasai ar y tywydd o'r blaen, dim ond beio'r glaw weithiau am ei gadw rhag mynd allan i chwarae, ond yn awr, yn ddistaw bach, chwanegai weddi am wynt a haul at ei bader bob bore a phob nos.

Dug Tachwedd ei dywydd gwlyb ar waethaf paderau Wili. Y niwl yn treiglo i lawr o'r mynydd byth a hefyd, y glaw syth, diderfyn, y dillad gwlybion yn hongian ar draws y gegin, aroglau sebon drwy'r tŷ i gyd, niwlen las ar ddodrefn a drysau, y ffenestri agerog yn cau allan y byd soeglyd—ni hoffai William Jones atgofio'r dyddiau hynny.

Dydd Sul oedd hoff ddiwrnod Wili yn y cyfnod hwnnw, y dydd pryd na fyddai un golwg o'r sosbenni a'r padelli a phan safai'r heyrn smwddio mewn llonyddwch disglair ar y pentan. Yr oedd Wili yn hoff iawn o'i fam bob Sul, gan y cymerai hamdden i fwyta gyda hwy wrth y bwrdd yn lle rhuthro ymaith i symud tegell oddi ar y tân neu i droi lliain er mwyn iddo gael sychu'r ochr arall. A chymerai hamdden hefyd i siarad â hwy, amdani ei hun yn ferch fach ym Meirion, ac am ei thad yn gyrru gwartheg bob cam i Lundain ac am ei hewythr, y llongwr a aethai droeon o amgylch y byd.

* * * *

---

rhynllyd: rhewllyd, oer iawn
ysmotyn: *spot*
ystaen: *stain*
ymddiswyddodd: *(he) resigned*
ni sylwasai: nid oedd wedi sylwi, *(to notice)*
beio: *to blame*
chwanegai: roedd yn ychwanegu, *(to add)*
pader: gweddi cf. paderau
dug Tachwedd â: daeth Tachwedd â
ar waethaf: *despite*
treiglo: rholio
diderfyn: di-ddiwedd
niwlen las: *blue mist*
agerog: *steamy*
soeglyd: *soggy*
cyfnod: amser
un golwg: *no sight*
llonyddwch: tawelwch
hamdden: amser rhydd
a aethai: a oedd wedi mynd
droeon: nifer o weithiau

Syllodd William Jones yn freuddwydiol ar y garreg o'i flaen. "Ebrill 10, 1896," meddai hi, a chofiai'n glir yr hwyrnos pan ddaeth ei fam i lawr y grisiau i roddi ei breichiau am ysgwyddau Meri ac yntau, gan wylo a dweud wrthynt fod yn rhaid iddynt fod yn ddewr iawn. Tair ar ddeg oedd ef a Meri'n ddeuddeg, ond ni wyddai Wili pam yn y byd yr oedd yn rhaid iddo fod yn ddewr. Yn wir, pan ddeallodd y câi adael yr ysgol ar unwaith a mynd i'r chwarel, curai ei galon â llawenydd mawr. Dewr! Ac yntau wedi gofyn am y fraint o weithio yn y chwarel.

"Heddwch i'w llwch," meddai'r llechen las o'i flaen, ond ni allai William Jones feddwl am ei fam yn mwynhau "heddwch". Er bod ei dwylo'n gignoeth bron yn nyddiau'r golchi, yr oedd yn rhaid iddi lanhau'r tŷ a thynnu'r llwch oddi ar y dodrefn byth a hefyd. Beth pe gwelai hi'r hen dŷ yn awr? gofynnodd y mab iddo'i hun—llwch yn amlwg ar bopeth, tyllau yn y matiau ac yn llenni'r ffenestri, a'r dodrefn oll yn ddi-sglein.

Gadawodd y fynwent a dringodd y ffordd i fyny'r Fron. Yno y trigai Twm Ifans, ei gyfaill pennaf. Buasai'r ddau yn bartneriaid yn y chwarel am flynyddoedd, ond cawsai Twm orchwylion ffarmwr a chwarelwr yn ormod iddo, a dewisodd ofalu am y tyddyn yn unig. Gwelai William Jones ei gyfaill wrth gytiau'r ieir yng nghongl cae uwchlaw'r tŷ, a brysiodd ato.

"Sut hwyl sy arnat ti, William?"

"Dŵad i ddeud gwd-bei wrthat ti, Twm."

"Y?"

"Dŵad i ddeud gwd-bei wrthat ti."

"O? Wyt ti'n mynd i'r 'Merica?"

"I'r Sowth. 'Fory."

Adroddodd yr hanes i gyd wrth Tom Ifans, ac adwaenai hwnnw ei hen bartner yn ddigon da i wybod ei fod o ddifrif. Pan

---

hwyrnos: noson
ni wyddai: doedd (W.J.) ddim yn gwybod
y câi: y byddai'n cael, *(to allow)*
braint: *privilege*
cignoeth: *raw*
byth a hefyd: o hyd ac o hyd
pe gwelai: petai hi'n gweld
yn amlwg: *visible*
oll: i gyd
di-sglein: *without shine*
y trigai: yr oedd T.I. yn byw, (trigo)
pennaf: mwyaf
cawsai: roedd wedi cael
gorchwylion: *tasks*
cytiau: siediau
congl (G.C.): cornel
uwchlaw: uwchben
adroddodd: h.y. dywedodd
adwaenai: roedd yn adnabod

dawodd William Jones, pwysodd Twm yn erbyn ochr y cwt a syllodd yn hir ar flaen ei esgid dde.

"Wn i ddim be i'w ddeud wrthat ti, wir fachgan," meddai, o'r diwedd, gan boeri ar y llawr. "Rhyw le go ryfadd sy tua'r Sowth 'na, lle gwyllt, ryff ofnadwy, meddan nhw i mi. Y mae 'na filoedd allan o waith yno. Fyddai ddim yn well iti roi dy droed i lawr hefo Leusa, dywad, a gofalu 'i bod hi'n cael llawar llai o arian i'w trin?"

"Yr ydw i wedi penderfynu, Twm."

Trawodd Twm Ifans y morthwyl ym mhoced ei gôt.

"Tyd i lawr at y tŷ inni gal gair hefo'r hen wraig," meddai.

Aethant i gyfeiriad yr ardd yng nghefn y tŷ, ac yno, mewn cadair ysgafn dan goeden afalau, eisteddai Elin Ifans, mam Twm, yn gweu hosan.

"Ga i ddeud wrthi hi?" sibrydodd Twm.

"Cei, am wn i, wir."

Adroddodd Twm y ffeithiau pwysicaf wrth ei fam, ond daliai hi ymlaen â'i gwau yn hamddenol. Gwraig denau, go dal, oedd hi, yn tynnu at ei phedwar ugain, ond yn gyflym iawn ei thafod a'i cham o hyd.

"Wel, yr hen wraig?" gofynnodd Twm o'r diwedd.

"Mi yrra i'r ci ar 'i ôl o y tro nesa y daw o yma hefo'i hen sbectol fawr a'i lais pwysig."

"Pwy, mam?"

"Yr Ifan Siwrin 'na. Mi fedri di edrach ar ôl dy bres heb 'i help o. Plant yr hen Isaac Davies ydi o a Leusa, a ddaw dim daioni ohonyn nhw byth. Mi fasai'r hen Isaac, pe medrai o, yn dwyn y llefrith allan o de rhywun! A be sy wedi dŵad o'i blant o? Yr Ifan Davies 'na yn ormod o hen gyb i roi dima at ddim, a'i chwaer o, Leusa, yn gwastraffu fel ffŵl. Cofia fi at Feri, dy chwaer, pan ei di i'r Sowth, William."

"A finna'n meddwl y basach chi'n 'i berswadio fo i ail-feddwl," meddai Twm.

---

tawodd: distawodd, (tewi)
poeri: *to spit*
llawer llai: *much less*
trin: trafod
sibrydodd: *whispered,* (sibrwd)
hamddenol: gan gymryd amser
yn tynnu at: *getting on for*
cam: *step*
mi yrra i (G.C.): fe anfona i, (gyrru)
pres (G.C.): arian
daioni: lles, *good*
pe medrai o: petai e'n gallu
llefrith (G.C.): llaeth (D.C.)
cyb: h.y. cybydd, *miser*

"Ail-feddwl? Pam?"

"Wel, lle ofnadwy sy tua'r Sowth 'na, meddan nhw, a . . ."

"Medda pwy?"

"Wel, mi glywis i . . ."

"Paid â lolian. Fuost ti yno 'rioed!"

"Wel, naddo, ond . . ."

"Dos di i'r Sowth, William, am dipyn," meddai'r hen wraig. "Dydi hi ddim yn rhaid iti aros yno os na leici di dy le, wel'di. Mi wneiff lês i Leusa dy golli di am gyfnod a gorfod byw ar lai o arian. Cofia na yrri di ddim mwy na phunt yr wsnos iddi hi am y rhent a chwbwl. Mae hynny'n hen ddigon iddi hi. Diar annwl, ydi. Mi fagais i deulu mawr ar lai na hynny. Do, 'neno'r Tad. Yr ydw i'n cofio pan briodis i . . ." Ond troesai'r ddau tua'r tŷ erbyn hyn.

* * * *

Yr oedd hi wedi naw o'r gloch ar William Jones yn cyrraedd adref, ac oeraidd fu ei groeso. Safai'r peiriant gwnïo ar y bwrdd o hyd yng nghanol pentwr o sidanau lliwiog. Aeth yn syth i'r llofft fach a thynnodd y fasged wellt o'i chongl yno a'i chludo i'w ystafell wely. Crysau, hosanau, coleri, esgidiau, ei siwt ail-orau, dillad isaf—trefnodd y pethau'n ofalus yn y fasged. Yr oedd hi bron yn llawn pan ddaeth llais Leusa o'r gegin.

"William!"

"Ia?"

"Ymh'le'r wyt ti? Tyd i gal dy swpar. Mae arna i isio'r bwrdd 'ma i orffan fy ffrog newydd."

Gwenodd yntau, "Yr ydw i wedi cael digon o samon am hiddiw," gwaeddodd.

Pan glybu hi ei sŵn yn agor drôr ar ôl drôr, brysiodd i fyny i'r llofft.

"Wel, y nefoedd fawr!" meddai, â pheth dychryn yn ei llais. "Be andros wyt ti'n 'i wneud?"

---

lolian: siarad lol
wel' di: h.y. weli di, *you see*
wsnos: h.y. wythnos
mi fagais i: *I brought up,* (magu)
'neno'r Tad: yn enw'r Tad
troesai: roedd (y ddau) wedi troi
pentwr: *heap*
sidanau: *satins*
llofft (G.C.): ystafell wely
cludo: cario
clybu: clywodd, (clywed)
dychryn: ofn mawr
Be andros?: *What the blazes?*

"Dim ond mynd i'r Sowth."

Edrychodd arno â'i cheg yn agored.

"Bora 'fory," chwanegodd, rhag ymddangos yn greadur anfoesgar. "Trên wyth."

Ni chredai ei fod o ddifrif, a chwarddodd. Gwenodd William Jones a nodio'n gyfeillgar arni, eto rhag bod yn anghwrtais.

"Oes 'na bobol yma?" gwaeddodd rhywun o'r gegin.

Brysiodd Leusa i ben y grisiau, ac yr oedd *chwerthin* yn ei llais wrth ateb.

"Oes, Ifan. Tyd i fyny yma os wyt ti isio hwyl!"

Hwyl! Caeodd William Jones ei wefusau'n dynn.

"Hylô! Be ydi hyn?" gofynnodd Ifan Davies pan ganfu'r fasged wellt.

"Mae o'n deud 'i fod o am fynd i'r Sowth bora 'fory. Welist ti'r fath giamocs yn dy fywyd? Fo a Now John yn agor gwaith glo newydd yno?"

"Diawch, mae gynno fo lot o deis, hefyd, hogan! Mwy o lawar nag sy gin i. Pwy sy'n mynd i gario'i fasged o i'r stesion, Leusa?" A chwarddodd y ddau.

"Hancesi pocad," oedd unig ateb William Jones, gan fynd i'r drôr. Cofiodd hefyd am y drôr fach glöedig lle'r oedd y chwe phunt, a rhoes yr arian yn llogell ei drowsus. Anwybyddodd ei frawd yng nghyfraith yn llwyr.

"Be ydi'r lol yma, William?" gofynnodd hwnnw ymhen ennyd.

"Tria roi rhyw synnwyr yn 'i ben o, Ifan," ochneidiodd Leusa.

"Petha shefio . . . Na, mi fydda i isio'r rheini bora 'fory."

"William!" meddai Ifan Davies yn ei lais mwyaf awdurdodol.

"Sgidia gwaith. Gwell imi fynd â nhw." A brysiodd William Jones i lawr y grisiau.

---

chwanegodd: *(he) added,* (ychwanegu)
anfoesgar: anghwrtais, *discourteous*
pan ganfu: h.y. pan welodd, (canfod—*to see*)
giamocs: *nonsense*
teis: *ties*
cloëdig: wedi'i gloi
llogell: poced
anwybyddodd: *he ignored,* (anwybyddu)
yn llwyr: yn gyfangwbl
ymhen ennyd: ar ôl ychydig o amser
synnwyr: *sense*
ochneidiodd L.: *L. sighed,* (ochneidio)
awdurdodol: *authoritative*

Brysiodd drwy'r pentref i "ddeud gwd-bei" wrth Bob Gruffudd, ei bartner. Gwrandawodd ef a'i wraig yn geg-agored ar stori William Jones. Beth am ei waith yn y chwarel? Beth a wnâi ym "mhen draw'r byd," a miloedd yno yn gorfod loetran wrth gonglau'r ystrydoedd? Beth ped âi Leusa at gyfreithiwr? Beth am y tŷ a'r rhent a'r dodrefn? Beth am . . . ? "O, mi fydda i'n olreit," oedd ei ateb i bopeth.

Yr oedd ei gamau'n rhai cyflym a chadarn drwy'r pentref pan droes adref tuag un ar ddeg.

gwnâi: byddai'n ei wneud
loetran: sefyllian o gwmpas
conglau (G.C.): corneli

ped âi L.: petai L. yn mynd
cadarn: *firm*

Pennod VI

ANHUNEDD

Ni fedrai William Jones gysgu winc. Dyma fo, meddai wrtho'i hun, yn ŵr hanner cant a dwy yn rhoi clep ar ddrws ei gartref ac yn ei gwadnu hi am y Sowth.

Dywedir bod ei fywyd i gyd yn ymrithio drwy feddwl gŵr sydd ar foddi. Profiad felly a gâi William Jones yn ei wely: aeth eto i'r ysgol, eto i droi'r mangyl i'w fam, eto i angladd ei dad, eto i'r chwarel, eto i'r brwydrau erchyll yn Ffrainc . . . Daria, anghofiasai ei fedal yn llwyr wrth bacio.

Daeth iddo ddarlun ohono'i hun yn gorwedd eto yn Nhir Neb rhwng ffosydd y gelyn a'r ffosydd Prydeinig. Yr oedd tri ohonynt yno yn y twll a wnaethai rhyw dân-belen yn y ddaear—ef a Mills, dyn o Lundain, a Howells, llanc o swyddog. Wrth ddwyn cyrch ar y gelyn yn y nos, bu raid iddynt gilio'n ôl, a llusgodd y ddau ohonynt Mills i'r twll yn y ddaear. Darfu'r tanio, ac yr oeddynt fel llygod yn y distawrwydd. Pan ddaeth y wawr, nid oedd dim amdani ond gorwedd yno ac ofnent bob munud y clywai'r gelyn riddfannau Mills, a glwyfwyd yn o arw. Pan dawelodd ef a syrthio i gwsg anesmwyth, treuliodd William Jones a Howells yr amser yn sibrwd hanes eu bywyd wrth ei gilydd. Gwelsai William Jones lawer ar y llanc o swyddog o gwmpas y ffosydd cyn hynny, a chlywsai ei Saesneg uchel,

---

anhunedd: methu cysgu
clep: *slam*
ei gwadnu hi: h.y. dianc
ymrithio: h.y. *to take form*
ar foddi: ar fin boddi
a gâi: yr oedd yn ei gael
brwydrau: *battles*
erchyll: ofnadwy
daria!: *dash it!*
anghofiasai: roedd wedi anghofio
yn llwyr: *totally*
Tir Neb: *No Man's Land*
ffosydd: *trenches*
a wnaethai: yr oedd . . . wedi'i wneud
dwyn cyrch: ymosod, *to attack*
cilio'n ôl: *to retreat*
llusgodd: *(he) dragged,* (llusgo)
darfu: stopiodd
griddfannau: *groans*
a glwyfwyd: a gafodd ei glwyfo, *(to wound)*
yn o arw: yn eithaf gwael
anesmwyth: *restless*
gwelsai: roedd wedi gweld
clywsai: roedd wedi clywed

mursennaidd yn ei dyb ef. Teimlai'r chwarelwr yn llai nag ef ei hun yng nghwmni pobl felly, gan fod ei Saesneg ef mor garbwl.

"*Beginning to rain, sir,*" meddai William Jones.

"*Yes* . . . O ble ych chi'n dod, Jones?"

Bu bron i Jones ag eistedd i fyny'n syth, Germans neu beidio.

"O Lan-y-graig, syr, yn Sir Gaernarfon."

Ysgydwodd Howells ei ben, â gwên freuddwydiol ar ei wyneb. Buasai ef yn Lan-y-graig ddwy flynedd cyn hynny ar ei wyliau o Rydychen, yn cael amser bendigedig yn cerdded y bryniau ac yn dringo'r mynyddoedd. Yna, aeth i sôn am ei gartref, yng Nghwm Rhondda, am y côr yr oedd ei dad yn arweinydd arno, am ei frawd a chwaraeai Rygbi tros ysgolion Cymru, am ei chwaer a enillasai ar ganu mewn llawer eisteddfod. Ond yn fwyaf oll, am ei fam, y wraig fach orau yn y byd. Tywalltai'r glaw arnynt, crynent yn yr oerni, ond llithrodd yr oriau heibio'n gymharol gyflym mewn atgofion melys. Yn wir, petai hi'n dywydd braf, a phetai ganddynt fwyd a hawl i gael smôc, byddai'r diwrnod yn un hapus.

Deffroes Mills tua diwedd y prynhawn, gan ddechrau griddfan yn uchel eto. Rhoesant ddŵr iddo i'w yfed a cheisio'i wneud mor esmwyth ag yr oedd modd, ond yr oedd yn amlwg fod rhyw dwymyn ffyrnig yn gafael ynddo, ac anodd fu ei gadw'n llonydd ar lawr y twll. Yna, yn sydyn, chwibanodd tân-belen i'r ddaear gerllaw, a chodwyd y tri ohonynt droedfeddi i'r awyr a'u gollwng drachefn mewn cawod o faw. Ymlusgodd William Jones at Mills i'w droi yn ôl ar ei gefn ac i sychu'r baw oddi ar ei wyneb, ac yna clywodd anadlu trwm y bachgen o swyddog. Gwelodd fod gwaed yn llifo o'i dalcen ac yn ei ddallu'n llwyr. Beth a wnâi? Rhoesent eu cadachau poced am y

---

mursennaidd: *affected*
tyb: barn, *opinion*
carbwl: *clumsy*
a enillasai: a oedd wedi ennill
tywalltai'r glaw: roedd y glaw yn arllwys, *(to pour)*
crynent: roedden nhw'n crynu, *(to shiver)*
yr oerni: *the cold*
smôc: *a smoke*
griddfan: *to groan*
ag yr oedd modd: ag yr oedd yn bosibl
amlwg: *obvious*
twymyn: *fever*
chwibanodd: *whistled,* (chwibanu)
troedfeddi: *feet*
drachefn: eto
ymlusgodd W.J.: *W.J. dragged himself,* (ymlusgo)
dallu: *to blind*
rhoesent: roedden nhw wedi rhoi

clwyf ar goes Mills, a rhaid oedd cael rhywbeth glân ar dalcen Howells yn awr.

Derbyniasai lythyr oddi wrth ei fam y diwrnod cynt: agorodd yr amlen a tharo'r tu glân ar y clwyf. Gwelai fod gwefusau'r bachgen yn wyn, ac ofnai y llewygai ar ôl colli cymaint o waed, ond gwenodd y llanc yn ddewr arno, gan sibrwd ei ddiolch.

Troes y glaw yn niwl cyn hir, a daeth yr hwyrnos yn gyflym. Pur anaml oedd fflachiadau'r gynnau yn awr.

"*Lieutenant* Howells," sibrydodd yn y tywyllwch.

"Ie?"

"'Fallai mai dyma'r siawns ora gawn ni. Beth am 'i thrio hi rŵan, syr?"

"O'r gore, Jones."

"Mi gymera i Mills ar fy nghefn. Mi fydd yn rhaid inni lusgo ar ein hwyneba, mae arna i ofn. Triwch gadw wrth fy ochr i, syr."

Llwyddodd William Jones i gael Mills ar ei gefn, ac yna ymlusgodd y ddau, fesul modfeddi, tua'r ffosydd. Nid anghofiai'r chwarelwr mo'r daith honno byth—y symud araf, araf; y llaid soeglyd o dan ei ddwylo; y darn o weiren bigog a dorrodd i mewn i'w ben-glin; yr ofn bod nerth Howells yn pallu. Gorffwysodd y ddau ymhen amser.

"Ydach chi'n iawn, syr?"

"Odw, diolch."

"Cadwch eich talcen o'r mwd os medrwch chi, syr."

Deng munud arall o ymlusgo drwy'r llaid oer, ac yna gorffwys eilwaith. Yr oeddynt yn ddigon agos yn awr i glywed lleisiau isel yn y ffosydd gerllaw.

"Rydan ni bron wedi cyrraedd, syr."

Nid oedd ateb.

"Bron wedi cyrraedd, syr."

Dim ateb yr eildro.

"*Lieutenant* Howells! *Lieutenant* Howells!"

---

clwyf: *wound*
derbyniasai: roedd wedi derbyn
y llewygai: y byddai'n llewygu, *(to faint)*
pur anaml: *quite infrequently*
fesul modfeddi: h.y. *inch by inch*
llaid: mwd
soeglyd: gwlyb
nerth: *strength*
yn pallu: yn gorffen, *failing*

Rhoes ei law chwith allan—i gyffwrdd ag wyneb oer, marw. Dyna'r foment fwyaf ofnadwy a gofiai William Jones, a bu yn ei feddwl ddydd a nos am fisoedd wedyn. Druan o'r fam y soniai'r bachgen mor annwyl amdani! Criodd fel plentyn yno yn y tywyllwch, gan felltithio pob un a ddadleuai tros ryfel. Pan ddaeth ato'i hun, penderfynodd dynnu'r gadwyn oddi am wddf y bachgen, a rhoes ei law allan eto. Mor oer oedd ei wyneb! Ond sut y gallai un a oedd newydd farw fod mor oer? Efallai mai rhywun arall . . . Ymlusgodd yn ei ôl, gan ymbalfalu i dde ac aswy, a rhoes ei galon naid o lawenydd pan gyffyrddodd â llaw gynnes y llanc.

Beth a wnâi yn awr? Ni allai yn ei fyw gario'r ddau ohonynt. Pe cludai Mills i'r ffosydd, gan fwriadu dychwelyd i nôl Howells, efallai y collai'r llanc yn y tywyllwch. Chwibanodd cawod o fwledi tros ei ben. Fflachiodd tân-belen ar ôl tân-belen uwchben. Crynai fel deilen yn yr oerni, er bod chwys ar ei dalcen. Saethodd bwledi i'r ddaear gerllaw, un ohonynt yn ymyl ei law dde. A ddarganfu'r gelyn hwy, tybed? Gorweddodd felly, yn ofni anadlu bron, am ddeng munud. Yna tawelwch eto.

Y peth gorau i'w wneud oedd cludo Mills ychydig lathenni ac yna cropian yn ôl am y bachgen. Ia, dyna a wnâi. Ymlusgodd ymlaen am dipyn, ac yna gollwng y baich oddi ar ei gefn, a throes yn ôl am y llanc. Gwnaeth hynny dro ar ôl tro nes cyrraedd yn agos i'r ffos.

Ar ei gefn yn ei wely'n methu cysgu, gwenodd William Jones wrth gofio'r munud hwnnw pan gyrhaeddodd o fewn llathen neu ddwy i fin y ffos, rhythodd yn hir i'r tywyllwch o'i flaen, gan ddychmygu y gwelai hanner dwsin o ynnau yn anelu ato. Beth a wnâi? Penderfynodd sibrwd yn Gymraeg, gan fod y rhan fwyaf o hogiau'r ffos yn Gymry.

---

y soniai'r bachgen: y byddai'r bachgen yn siarad, (sôn)
melltithio: *to curse*
a ddadleuai: *who argued,* (dadlau)
tros: dros, *in favour of*
ymbalfalu: *to fumble*
aswy: chwith
yn ei fyw: h.y. *for the life of him*
pe cludai: petai e'n cario, (cludo)
a ddarganfu'r gelyn?: oedd y gelyn wedi'u darganfod? *(to discover)*
llathenni: *yards*
gollwng: *to release*
baich: *burden*
dro ar ôl tro: *time after time*
rhythodd: *he stared,* (rhythu)
gan ddychmygu: *imagining*
gynnau: *guns*
anelu: *to aim*
sibrwd: *to whisper*

"Hei! Oes 'na rywun yna? Hei, hogia, hogia!"

Daeth yr ateb ar unwaith.

"Oi, mates, did you hear that? A bloody Jerry right on top of us!"

"No, Welshman, Welshman. Bill Jones. Wil Llan-y-graig."

Clywodd lais Llew Gruffydd, hogyn o Bwllheli.

"Don't shoot, Bert. . . . Wil! Wil!"

"Ia, Llew, fi sy 'ma."

"Be gythral wyt ti'n wneud yn fan 'na? Rhywun hefo ti?"

"Oes. Corporal Mills a *Lieutenant* Howells—y ddau wedi'u clwyfo'n arw."

"Reit. Gwthia un ohonyn nhw ymlaen inni gael gafal ynddo fo."

A chafwyd dwylo parod i dynnu'r tri ohonynt o dan y weiren bigog i mewn i'r ffos.

* * * *

Âi, fe âi â'i fedal gydag ef, meddai William Jones wrth dywyllwch ei ystafell wely. Ymh'le yr oedd y llanc o swyddog erbyn hyn, tybed? Llanc? Aethai dwy flynedd ar bymtheg heibio er hynny ac yr oedd Howells yn ddyn bellach. Gwelsai William Jones ef yn Llan-y-graig yr haf ar ôl y rhyfel, ond ni chlywsai William Jones ddim am Howells ers tro byd. Gwyddai ei fod yn athro ysgol i lawr yn y De, ond dyna'r cwbl. Arno ef yr oedd y bai, gan i'r bachgen ysgrifennu ato ddwywaith, ond yn wir, un sâl iawn am lythyr oedd William Jones. Eisteddasai i lawr i yrru gair ato droeon, ond wedi iddo sôn am y tywydd a'i iechyd, ni fedrai yn ei fyw grafu un peth arall i'w ddweud.

Ei fedal. A oedd rhywbeth arall y dylai ei daro yn y fasged? Ei Feibl. Rhyfedd iddo anghofio'i Feibl. Âi â'r Beibl bach hwnnw a gawsai'n anrheg gan y capel pan ymunodd â'r Fyddin. Teimlai William Jones, ar ei ochr yn ei wely, yn dawelach ei feddwl ar ôl iddo benderfynu mynd â'i Feibl i'r Sowth; yn ŵr pur grefyddol.

---

be gythral?: *what the devil?*
clwyfo: *to wound*
yn arw: yn ofnadwy
âi: byddai'n mynd
ers tro byd: ers amser maith
gyrru (G.C.): anfon, hala (D.C.)
droeon: nifer o weithiau
yn ei fyw: *for the life of him*
crafu: h.y. chwilio (am rywbeth i'w ddweud)
pur grefyddol: *quite religious*

Ni ddarllenai'r llyfr. Rhyw lyfr go sych a fuasai'r Beibl i William Jones, a dweud y gwir, yr un yr oedd yn rhaid iddo ddysgu adnodau ohono ar gyfer y Seiat. Na, nid oedd yn hoff o'r Beibl, ond teimlai y dylai ei gludo yng nghornel y fasged wellt. Beth bynnag a ddigwyddai iddo ar y daith neu yn y Sowth, gallai ddweud bod ei Feibl ganddo.

---

adnodau: *(Biblical) verses*

Pennod VII

Y NEFOEDD, DYMA LE!

Tynnai William Jones tua phen ei daith. Hyderai i Grad dderbyn y teligram a yrasai iddo o Gaer ac y deuai rhywun i'w gyfarfod i'r stesion.

Arhosodd y trên mewn gorsaf fechan a syllodd William Jones braidd yn ofnus ar y pentref a ddringai'r llethr gerllaw. Ystrydoedd sythion, unffurf, o gerrig llwyd, yn hongian o dan ryw dip glo anferth. Daeth dau ŵr canol oed i mewn i'r cerbyd.

"Shwmâi?" meddai un.

"Go lew, wir, diolch."

"O, Northman, ifa?"

"Ia, o Lan-y-graig . . . Sir Gaernarfon."

"Shwd ma' petha'n dishgwl yn y chwareli 'na nawr?"

"Y?"

"Shwd ma' petha'n mynd yn y chwareli lan 'na?"

"O, go lew, wir."

"Gwd, w. Ma'n dwym 'eddi."

"Y?"

"Hoil twym?"

"Ydi, wir." Hyderai William Jones iddo roi'r ateb cywir.

"Dod am sbel fach?"

"Na, i aros. Meddwl mynd i weithio i'r pwll glo."

Llosgodd taniwr y sigaret ei wefus. "Yffarn dân!" meddai. Ond nodiodd y gŵr arall yn ddeallus a diniwed.

"Ymh'le?" gofynnodd.

"Bryn Glo."

"Yffarn dân! Odi fa'n mynd i shinco pwll newydd yno,

---

hyderai: h.y. roedd yn gobeithio
a yrasai: yr oedd e wedi'i yrru/anfon
Caer: *Chester*
deuai: byddai . . . yn dod
syllodd: *he stared,* (syllu)
llethr: *slope*
gerllaw: yn ymyl
unffurf: *uniform*
dishgwl (D.C.): h.y. disgwyl, edrych
go lew: eithaf da
gwd, w: *good,* (w—*a meaningless utterance*)
hoil (D.C.): h.y. haul
diniwed: *naïve*
odi fa (D.C.)?: h.y. ydy e?
shinco: *to sink*

Twm?'' A rhythodd gŵr y sigaret ar William Jones fel petai'n gweld rhyw greadur o fyd arall.

''Pwll Bryn Glo 'di cwpla, chi'n gweld,'' eglurodd Twm.

''Y ddau bwll, Nymbar Wan a'r Pwll Bach. Y Pwll Bach 'di cwpla ers dwy flynadd.''

''Nes i dair, bachan,'' meddai'r ysmygwr. ''A ma' 'da fe dŷ mawr yn ymyl Caerdydd, tŷ yn Llunden, a thŷ ar y Rifiera.''

''Lord Stub, yr ownar, chi'n diall.'' Nodiodd Twm tuag at ei gyfaill. ''Shinc yn Gomiwnist,'' chwanegodd.

''Ôs 'da chi frawd ne' whâr ym Mryn Glo?'' gofynnodd Twm.

''Chwaer. Meri Williams.''

''Meri Williams . . . Meri Williams . . . Wyt ti'n nabod Meri Williams, Shinc?''

''Nagw i. Ble ma' hi'n byw?''

''Nelson Street—nymbar sefn.''

''Nelson Street ma' Shinc 'ma'n byw. Pwy sy'n nymbar sefn, Shinc?''

''Dai Morgan sy'n nymbar *five,* wedyn Crad Williams yn nymbar *six,* wedyn . . .''

''Crad ydi 'mrawd yng ngyfraith.''

''Bachan yw Crad,'' meddai Twm.

Fe'i ysgydwodd y trên ei hun i mewn i orsaf fach Ynys-y-gog. Neidiodd milgi i mewn i'r cerbyd atynt a dilynwyd ef gan ŵr tew a llon ac uchel ei lais.

'''Ylô, bois, 'ylô! Jawch, ma' hi'n dwym 'eddi. Ond smo Shinc yn dwym, Twm. Rhy dena' i 'wsu yn yffarn, bachan! Be am redag râs i fi, Shinc? *Fifty to one on* Shinc, ontefa, Twm?'' A chwarddodd y gŵr tew am hanner munud cyfan.

'''Ble ti'n mynd, Jim?'' gofynnodd Twm.

---

rhythodd: *(he) stared,* (rhythu)
cwpla: gorffen
eglurodd T.: *T. explained,* (egluro)
bachan (D.C.): h.y. bachgen
ymgais: *attempt*
whâr (D.C.): chwaer
bachan: bachgen h.y. *a lad, a case*
ysgydwodd y trên: *the train swayed/shook,* (ysgwyd)
milgi: *greyhound*
smo Shinc (D.C.): h.y. dydy Shinc ddim
wsu (D.C.): h.y. chwysu
yffarn: h.y. uffern, *hell*
ontefa?: h.y. yntê/yntefe, *isn't it?*

"Tre Glo. Mic yn *sure thing* yno 'eddi, bois. Odi, *sure thing*. Sigaret, Shinc?"

"Ta." Cynigiodd un i William Jones hefyd, ond ysgydwodd ef ei ben, gan ddangos ei bibell. Nid oedd Twm yn ysmygwr.

"Be ddigwyddws dydd Mercher ym Mhontypridd, Jim?" gofynnodd Shinc wrth estyn matsen olau tua pherchennog y milgi. "Wedast ti fod y râs honno'n *sure thing.*"

"Jiw, yr hen fenyw, fy mam, bachan."

"Be?"

"Wedi 'i ffîdo fa lan ar y slei, bois. Ffagots, myn yffarn i, Twm! Roedd a'n ffaelu cyffro. Rhedag? Mi fasai cart *chips* y Brachi yn 'i baso fa. Ond ma' fa mewn trim 'eddi, onid wyt ti, Mic bach? Fydd dim ci yn Nhre Glo all 'i wynto fa 'eno, Shinc. Fe fydd y râs drosodd cyn iddyn nhw godi 'u clustia, bachan. Jiw, 'sa ti'n 'i weld a ar y mynydd 'na bora 'ma!"

Nesâi'r trên at Fryn Glo a phwyntiodd Twm tua'r *allotments* ar y llethr islaw'r tip. Yno y treuliai ef a Shinc y rhan fwyaf o'u hamser, meddai.

Rhuglodd y trên i mewn i orsaf Bryn Glo. Y nefoedd, dyma le! meddai William Jones wrtho'i hun, gan syllu ar y tipiau glo. Cododd i estyn ei fasged oddi ar silff y cerbyd, ond gwthiodd Shinc ef o'r neilltu. Fe gariai ef y fasged, meddai.

* * * *

Yr oedd tri'n aros i groesawu William Jones yn yr orsaf—Crad ac Arfon, ei fachgen, ac Eleri, ei ferch. Ceisiodd Crad gymryd y fasged oddi ar Shinc, ond ymaith â hwnnw a'i gyfaill gyda hi tra oedd ef yn ysgwyd llaw â'i frawd yng nghyfraith. Rhyw un ar bymtheg oedd Eleri, a syllodd ei hewythr yn syn arni. Pictiwr o ferch, meddai wrtho'i hun, ond nid oedd golwg rhy raenus arni. Tybiai fod Crad hefyd yn edrych yn llwyd a

---

digwyddws (D.C.): digwyddodd
ffîdo: *to feed*
myn uffarn i!: h.y. *by jove!*
ffaelu: methu
cyffro: symud
Mic: (y Milgi)
all 'i wynto fa: h.y. a fydd yn gallu ei ddal e, (gwynto—*to smell*)
'eno: h.y. heno
'sa ti: 'taset ti/petaet ti
nesâi'r trên: roedd y trên yn agosáu, (nesáu)
islaw: o dan
rhuglodd y trên: *the train rattled,* (rhuglo)
o'r neilltu: o'r ffordd
ymaith: i ffwrdd
graenus: yn edrych yn dda
tybiai: roedd e'n meddwl, (tybio)

thenau, ond efallai fod y tywydd poeth 'ma . . . Rhoes ei fraich am ysgwyddau Eleri gan ddweud y dylai rhywun roi pwysau ar ben Arfon i'w atal rhag tyfu ychwaneg. Teimlai'n fychan iawn wrth ochr y llanc tal nad oedd ond hogyn rhwng deuddeg a thair ar ddeg pan welsai ef ddiwethaf.

"Pryd ddoist ti adra, Arfon?" gofynnodd iddo.

"Bora 'ma. Trafaelu drwy'r nos."

"O? Sut wyt ti'n licio tua Llundain 'na?"

"Slough, nid Llunden. Oreit, Wncwl William. Oreit, wir, w." Ond nid oedd argyhoeddiad yn ei lais.

Aethant i lawr y grisiau o'r orsaf ac allan i'r ystryd. Gwelai William Jones amryw o wŷr, yn loetran wrth siop â'r gair BRACCHI yn fawr arni. Deuai sŵn canu croch o ryw beiriant ynddi, a chafodd y chwarelwr gip ar nifer o lanciau yn yfed dioddydd lliwiog o wydrau uchel. Yr oedd fel ffair yn y siop, a rhythodd y chwarelwr yn syn arni. Yna daethant at bont tros afon lydan. Afon? Syllodd William Jones i lawr ar ddüwch y dŵr.

"Lle go wahanol i Lan-y-graig, William?" meddai Crad, wrth sylwi ar y syndod yn llygaid ei frawd yng nghyfraith.

"Ia, wir, fachgan."

"Y *Workman's Hall,*" meddai Arfon, gan nodio tuag at y neuadd fawr ar y dde iddynt.

"O?"

Safai twr bychan o wŷr o'i blaen, un ohonynt—un o gymrodyr Shinc, efallai—yn ysgwyd ei ddwrn yn wyneb tri arall. Daeth y ddau air "Means Test" i glustiau William Jones ac yna, o ffenestri uchaf y neuadd, sgrechian tyrfa o blant yn mwynhau rhyw ffilm.

Yna dechreuasant ddringo'r llethr. Araf y cerddent, a sylwodd fod Crad yn anadlu braidd yn drwm. Troesant ar y dde cyn hir, a gwelai eu bod yn Nelson Street.

---

rhoes: rhoiodd, (rhoi)
atal: stopio
doist ti: dest ti
trafaelu: teithio
argyhoeddiad: *conviction*
amryw o wŷr: nifer o ddynion
loetran: yn sefyll o gwmpas a gwneud dim
canu croch: canu uchel a swnllyd
cip: *a glance*
düwch: *blackness*
syndod: *surprise*
twr: *group*
cymrodyr: *comrades*
dwrn: *fist*

Edrychai pob tŷ fel ei gilydd, y llwch glo'n ddu ar eu cerrig llwyd; rhyw bot rhedyn mawr yn ffenestr pob parlwr, a'r ffenestri a'r drysau oll yn dyheu am baent. Ond sylwodd William Jones, er hynny, fod y ffenestri a'r llenni'n lân iawn, a bod cerrig y drws a rhyw hanner cylch ar y palmant o'u blaenau wedi'u sgwrio'n wyn, ac y disgleiriai'r darnau o bres ar bob drws yn llachar yn yr haul.

Yr oedd yn dda ganddo gael troi i mewn i'r tŷ, a gwelai ar unwaith fod croeso mawr yn ei ddisgwyl—y gegin fel pin mewn papur a gwledd yn ei aros ar y bwrdd. Diolchai William Jones fod ei chwaer yn esiampl da i'r bobl ddifater a gwyllt o'i chwmpas, yn dangos iddynt sut i lanhau tŷ a gosod pryd o fwyd. Sylwodd ar wynder y llenni ar y ffenestr, ar lewyrch y pres ym mhobman, ac ar garreg yr aelwyd wedi'i sgwrio'n wen. Caledodd ychydig pan ganfu fod ei hwyneb yn bur denau a llwydaidd a'i gwallt yn gwynnu'n o gyflym. Ond dyna fo, yr oedd hithau, fel yntau, yn mynd yn hen; yr oedd hi dros ei hanner cant, onid oedd?

* * * *

Wedi'r daith hir, mwynhaodd William Jones ei de'n fawr. Cafodd hanes y teulu—Crad allan o waith ers blwyddyn; Arfon yn Slough, gerllaw Llundain; Eleri yn yr Ysgol Ganolraddol; Wili John, yr ail hogyn, yn tynnu at bymtheg oed, wedi mynnu gadael yr ysgol honno i fod yn was mewn siop gigydd. Ac yn awr, gan fod Arfon a Wili John yn ennill tipyn o arian, torrwyd *dole* y teulu i lawr. Wynebai Meri'r dyfodol â phryder yn llond ei llygaid, ond chwarddai Crad, gan daflu ei ben yn ddifater. Fe newidiai pethau eto, meddai ef, ond nid oedd ei chwerthin, yn nhyb William Jones, mor llawen ag y dymunai Crad iddo fod.

"Dod â'r petha 'ma o'r 'lotment i chi, Mrs. Williams," meddai llais dwfn, cerddorol, o'r gegin fach, a daeth gŵr byr

---

rhedyn: *fern*
dyheu: *to yearn*
sgwrio: *to scrub*
llachar: disglair
esiampl: *example*
difater: *indifferent*
gwynder: *whiteness*
llewyrch: *lustre*
carreg yr aelwyd: *the hearth stone*
pan ganfu: pan welodd, (canfod)
Ysgol Ganolraddol: *Intermediate School*
yn tynnu at: *getting on for*
mynnu: *to insist*
pryder: gofid
chwarddai C.: byddai C. yn chwerthin
yn nhyb: *in the opinion of*

tros ei drigain oed i mewn atynt, gan daro basgedaid o gynnyrch ei ardd—ffa, pys, tatws a letys—ar y seld.

"Chymera i monyn nhw, wir, David Morgan," meddai Meri. "Mae digon o'u heisio nhw arnoch chi."

"Pidwch â siarad dwli, ferch. Ma' 'da ni fwy nag ŷn ni'n moyn. Shwmâi, Crad?"

Cyflwynodd Crad ei frawd yng nghyfraith i'w gymydog.

"David Morgan," meddai, "arweinydd Côr Bryn Glo. Y côr cymysg gora yn y byd, yntê, Dai?"

"Jawch, 'na lwcus ych chi!" meddai wrth William Jones.

"Be?"

"Dod lawr 'ma 'eddi'. Ma' 'da ni *Sacred Concert* nos 'fory. Côr Pendyrus. Wyth o'r gloch—ar ôl y Cwrdd."

"Ar ôl y capal," eglurodd Crad, rhag ofn na wyddai ei frawd yng nghyfraith beth oedd "cwrdd". "Côr meibion o'r Rhondda Fach ydi Pendyrus, a ma' nhw'n trio cal arian i fynd i fyny i'r 'Steddfod yng Nghaernarfon. Y rhan fwya ohonyn nhw ar y *dole,* wyt ti'n gweld, William."

"Beth ych chi'n feddwl o'r lle yma?" gofynnodd y cerddor.

"Wel, wir, lle . . . lle go wahanol i Lan-y-graig acw."

Chwarddodd David Morgan yn dawel. "Wy i 'di bod ym mhob part o Loegr ac yn 'Merica—'da'r côr, chi'n diall—a wy 'di gweld digon o lefydd pertach. Ond fuasai'n rhaid i chi whilo'n lled bell am bobol i wado dynon y cwm 'ma."

"Am bobol well na'r rhain," eglurodd Crad.

"Yn y gwaith glo oeddach chi'n gweithio, Mr. Morgan?"

"Ia." Cododd ei ysgwyddau. "Sdim gwaith llawn, 'di bod yma ers blynyddoedd, a wy mas nawr ers yn agos i dair blynadd, ers pan gaeon nhw Pwll Bach."

"A nawr wedi i chi witho'r holl flynyddoedd dan ddaear, be sy 'da chi?" meddai llais o ddrws y gegin. Shinc, y gŵr yn y trên,

---

cynnyrch: *produce*
seld: *dresser*
dwli: *nonsense*
moyn (D.C.): eisiau
shwmai?: sut mae?
jawch!: diawch! *devil!*
eglurodd C.: *C. explained,* (egluro)
na wyddai: nad oedd . . . yn gwybod
wy i 'di: h.y. rydw i wedi
llefydd: lleoedd
whilo (D.C.): h.y. chwilio
lled: eithaf
wado (D.C.): curo
dynon: h.y. dynion
sdim: does dim
gwitho (D.C.): h.y. gweithio

a oedd yno. Daeth i mewn atynt â her yn ei lygaid. ''Y *dole* a'r *Means Test.* A be sy 'da fi? A be sy 'da Crad 'ma? Llwch glo yn 'i *lungs* ac Arfon . . .''

Taflodd Meri olwg rhybuddiol tua'r areithydd, a thawodd yntau, gan daro'i law yn frysiog ym mhoced ei gôt.

''Dod â hwn i chi ddarllan 'on i,'' meddai, gan estyn pamffled bychan i William Jones. *''The Curse of Capitalism.* A ma' fa'n wir bob gair.'' Ac yna i ffwrdd â Shinc.

Aeth y cerddor hefyd ymaith yn fuan wedyn, ac yna rhuthrodd Wili John, y bachgen ieuangaf, i mewn. Wedi rhoi dau bwys o *sausage* a chwd papur yn cynnwys toddion—anrhegion oddi wrth y cigydd a wasanaethai—i'w fam, eisteddodd yn awchus wrth y bwrdd i gael ei de. Gadawsai ei feic y tu allan, meddai, ac yr oedd ar frys i ddychwelyd i'r siop. Edrychai ef yn bur iach, ond sylwodd William Jones fod ei arddyrnau yn o denau.

''Faint ych chi'n aros, Wncwl William?'' gofynnodd â chacen yn llond ei geg.

''Bwyta di dy de a phaid â chlebran,'' oedd gorchymyn ei fam.

''Ddewch chi 'da fi i'r *Hall* nos Fercher? Ma' George Arliss 'no.''

Edrychai William Jones ymlaen at weld George Arliss a rhoes ddwy geiniog i Wili John a chwechyn i Eleri.

''Tyd, mi awn ni am dro i'r mynydd, William,'' meddai Crad, gan godi ac estyn ei gap oddi ar hoelen y tu ôl i'r drws.

* * * *

Atgofion oedd eu sgwrs—am yr ysgol yn Llan-y-graig, am y chwarel, am y rhyfel, am y ddadl fawr a fu rhyngddynt pan benderfynodd Crad fynd â'i wraig a'i ddau o blant i lawr i'r De. Eisteddasant cyn hir ar garreg wrth ochr y llwybr.

---

her: sialens, *challenge*
rhybuddiol: *of caution*
areithydd: h.y. siaradwr
tawodd: distawodd, tawelodd, (tewi)
'on i: h.y. roeddwn i
ymaith: i ffwrdd
cwd: cwdyn
toddion: *dripping*
yn awchus: *eagerly*
garddyrnau: *wrists*
clebran: *to chatter*
gorchymyn: *to command*
chwechyn: darn chwe cheiniog

"Fi oedd yn iawn, wsti, Crad,' meddai William Jones ymhen ennyd.

"Yn iawn?"

"Ynglŷn â dŵad i lawr i'r Sowth 'ma. Helbul ydach chi wedi'i ga'l fel teulu—streic hir 1921, streic hirach 1926, gwaith ansicr, a rŵan . . ." Nodiodd tuag olwynion segur y gwaith glo yn y cwm islaw.

"'Fallai, wir, William," meddai'n dawel. "Ond y bobol sy'n gwneud y lle. A does 'na ddim pobol fel y rhain yn y byd, neb tebyg iddyn nhw."

"Fyddi di'n mynd i'r capal rŵan, Crad?" gofynnodd â gwên.

"Bob bora Sul a phob nos Sul mor selog ag unrhyw flaenor, was. Wyt ti'n cofio'r job oedd Meri a chditha yn gal i 'nhynnu i i wrando ar yr hen Lloyd yn malu awyr ers talwm?" A chwarddodd y ddau uwch yr atgof. "Ond rŵan, fydda i byth yn colli. O barch i Mr. Rogers. Dyna iti ddyn, William!"

"Y gweinidog?"

"Ia. Mae o wedi cal galwad dro ar ôl tro i fynd o'r twll yma. Ond wyt ti'n meddwl yr aiff o? Dim peryg! Mi glywis i iddo fo gal cynnig pumpunt yr wsnos a'i dŷ y dwrnod o'r blaen tua Chaerfyrddin 'na. Ond yma y mae o ac yn rhoi chweugain yn ôl o'i gyflog, er bod hwnnw'n un digon bychan, bob mis. Mi gafodd o goblyn o job i berswadio rhai o'r blaenoriaid i droi festri'r capal 'cw yn rhyw fath o glwb i'r di-waith, ond mi lwyddodd o'r diwadd ac mi fedrodd gal weiarles a phiano a llyfra o rwla. Mae Wili John yn hannar-addoli'r dyn. A finna, o ran hynny."

"Fo sy gynnoch chi 'fory?"

"Ia, a fo ydi llywydd y consart nos 'fory. Ac os medri di aros dros ddiwadd wsnos nesa 'ma, William, mi gei 'i glywad o'n

---

wsti (G.C.): h.y. wyddost ti, rwyt ti'n gwybod
ymhen ennyd: o fewn ychydig amser
helbul: trafferth
segur: *idle*
selog: h.y. ffyddlon
blaenor: *deacon* (llu. blaenoriaid)
chditha (G.C.): h.y. tithau, a TI
malu awyr: siarad nonsens
ers talwm (G.C.): yn yr hen amser
uwch: uwchben
wsnos: h.y. wythnos
chweugain: h.y. deg swllt, 50c.
coblyn o job: h.y. tipyn o waith, gwaith caled
o rwla: h.y. o rywle
o ran hynny: *if it comes to that*

siarad yn Saesneg yn yr *Hall* 'ma—rhyw gwarfod mae'r eglwysi wedi'i drefnu ar gyfer y bobol ifanc."

"Os medri di aros . . ." Rhoes y frawddeg hergwd go arw i feddwl William Jones.

"Y dyn Shinc 'na," meddai, braidd yn ansicr ei lafar.

"Ia?"

"Be oedd o'n feddwl wrth ddeud bod llwch ar dy frest di?"

Ni ddywedodd Crad ddim am ennyd.

"Wnest ti ddim sôn gair yn dy lythyra," chwanegodd William Jones. "Oes 'na rwbath ar dy iechyd di, Crad?"

"Oes, fachgan, llwch glo ar fy mrest i, y peth maen nhw'n alw'n *silicosis.*"

"Wyt ti'n cael *compensation,* Crad?"

"Mi apeliais am un. Mi es i lawr at y spesialist yng Nghaerdydd ac wedyn o flaen y *Board,* ond doedd dim digon o lwch ar fy mrest i imi gal compo. Glywist ti'r fath lol yn dy fywyd? Taswn i'n medru mynd dan ddaear am ryw flwyddyn arall i gal tipyn chwanag o lwch tu mewn imi, mi gawn i *gompensation*—a charrag fedd!"

"Os medri di aros . . ." Curai'r frawddeg fel gordd ym meddwl William Jones. Penderfynodd ddweud yr hanes i gyd wrth Crad.

"Dŵad i lawr yma i chwilio am waith wnes i, Crad."

"Y?"

Adroddodd William Jones ei stori'n fanwl, a Crad yn taflu llawer "Rargian Dafydd!" a "Nefoedd fawr!" i mewn iddi ac yn chwerthin nes y deuai'r dagrau i'w lygaid.

"A rŵan . . ." meddai'r chwarelwr gydag ochenaid, wedi iddo orffen yr hanes.

"'Cadw dy blydi *chips*'! Wyddwn i ddim dy fod ti'n gymaint o foi, William!" A chwarddodd Crad yn hir eto.

"Ond rŵan, fachgan . . ."

"Diawch, mi rown i ffortiwn—tasai gin i'r fath beth—am gal

---

cwarfod (G.C.): h.y. cyfarfod
hergwd: *shaking*
go arw: h.y. eithaf mawr
llafar: *speech*
compo: h.y. *compensation*
mi gawn i: *I'd get,* (cael)
gordd: *sledge-hammer*
Rargian Dafydd!: h.y. *Good grief!*
deuai'r dagrau: roedd y dagrau'n dod
ochenaid: *sigh*
wyddwn i ddim: doeddwn i ddim yn gwybod
diawch!: *heck!*
mi rown i: *I'd give,* (rhoi)

gweld wyneba Leusa ac Ifan Siwrin pan oeddat ti wrthi'n pacio.'' A ffrwydrodd y chwerthin ohono eilwaith.

''Ond rŵan, Crad, mae petha'n . . .''

''Wyt ti'n siŵr nad carlamu i mewn ddaru o? Un go dda oedd hon'na, William.''

''Ond rŵan, Crad, a'r pylla 'ma . . .''

''Y nefoedd, mae 'na siarad yn Llan-y-graig heno, William! 'Glywsoch chi?' 'Naddo. Be?' 'Am William Jones?' 'Pa William Jones?' 'Gŵr Leusa Jane.' 'Be?' 'Wedi dengid i'r Sowth, cofiwch!' . . .'' A daeth pwl arall o chwerthin dros Crad. ''Tyd i lawr inni gal deud yr hanas wrth Meri.''

Deuai aroglau ffrio *chips* o'r gegin fach pan gyrhaeddodd y ddau ddrws y tŷ, a rhoes Crad bwniad i William Jones yn ei ochr.

''Cadw dy blydi *chips*!'' gwaeddodd, gan chwerthin yn uchel eto. Ond y tro hwn troes y chwerthin yn beswch, ac eisteddodd mewn cadair i ddyfod ato'i hun. Rhoes Meri ddiod iddo i'w yfed a gwnaeth iddo lyncu tabled a gawsai gan y meddyg.

''Wyt ti'n dechra drysu, dywed?'' gofynnodd.

Nid chwerthin a wnaeth Meri pan glywodd y stori.

''Be wnei di rŵan, William?'' gofynnodd. ''Does 'na ddim gobaith iti gael gwaith, wsti.''

''Mae gin i dros gant o bunna yn y Post Offis, a phetaswn i'n talu punt yr wsnos i chi am fy lle a gyrru punt i Leusa, mi fedrwn i fyw am flwyddyn petai raid imi. Ond mi fydd petha wedi troi ar wella cyn hynny.''

''Roi di ddim punt yr wsnos i ni, 'ngwas i,'' meddai Crad. ''Mae chweugain yn llawn digon, os mai penderfynu aros wnei di.''

''Punt, a dim dima'n llai,'' oedd ateb William Jones, gan swnio'n herfeiddiol. defiant.

---

carlamu: *to gallop*
ddaru o (G.C.): wnaeth e
dengid: h.y. dianc
pwl: *bout*
deuai: roedd . . . yn dod
pwniad: *nudge*
dyfod (dod) ato'i hun: h.y. *for him to recover*
a gawsai: yr oedd wedi'i gael
drysu: cymysgu, *to confuse*
gyrru (G.C.): anfon, hala (D.C.)
petai raid imi: *if I had to*
troi ar wella: *to turn for the better*
'ngwas i: h.y. fy machgen annwyl
dima: h.y. dimai, *halfpenny*
herfeiddiol: *defiant*

"Mi wyddost fod dyn y *Means Test* yn galw yma unwaith bob mis, William," meddai Crad, "ac mi gymer o yr ail chweugain allan o'n *dole* ni, wsti."

"Dydi o ddim o fusnes hwnnw be fydd William yn 'i dalu inni," meddai Meri'n chwyrn. "Mi dorrwn ni'r ddadl drwy gytuno ar bymtheg swllt." Troes ymaith i fynd ymlaen â'i gwaith yn y gegin fach. "Yr hen gnawas iddi!" chwanegodd. "Mi ddeudis i ddigon wrthat ti cyn iti 'i phriodi hi."

Eisteddasant wrth y bwrdd i gael swper, a "Lle mae Arfon?" gofynnodd Crad.

"I lawr yn y pentra hefo'i ffrindia," meddai Meri.

"Sut mae o'n licio yn Slough, Meri?"

"Mae o'n deud 'i fod o'n reit hapus, William . . . Wn i ddim. Roedd hi'n biti garw iddo fo adael yr Ysgol Ganolraddol, ond wnâi dim arall y tro ond mynd i ffwrdd i'r Slough 'na pan ddaru nhw gau'r pwll."

"Ers faint mae o yno?"

"Yn agos i flwyddyn, bellach. Mi wnaeth Crad a finna'n gora glas i'w berswadio fo i beidio â mynd, ac mi ddaeth Mr. Jenkins, yr ysgolfeistr, yma i siarad hefo fo. Roedd o'n siŵr o gael ysgoloriaeth i'r Coleg, meddai fo. Roeddan ni i gyd yn credu y basai fo'n setlo i lawr i stydio ar gyfar mynd i'r Coleg. Ond y dwrnod wedyn, mi welodd 'i dad yn aros yn y *queue* wrth y *Labour Exchange* ac mi sgwennodd i'r lle 'na yn Slough ar unwaith."

Wedi rhyw hanner awr arall o sgwrsio, troes William Jones yntau tua'i wely. Pan gyrhaeddodd y llofft, gwelodd fod Wili John yn cysgu'n braf ar ôl gwibio yma ac acw ar ei feic drwy'r dydd, a thynnodd ei ewythr oddi amdano'n ddistaw bach. Ond nid oedd yma heddwch na thawelwch hyd yn oed ar noson braf

---

yn chwyrn: yn gyflym a chas
mi dorrwn ni'r ddadl: *we will settle the dispute,* (torri dadl)
ymaith: i ffwrdd
yr hen gnawes iddi!: h.y. *the old bitch!*
yn biti garw: *a terrible pity*
yr Ysgol Ganolraddol: *the Intermediate School*
wnâi dim arall y tro: *nothing else would do,* (gwneud y tro)
pan ddaru nhw gau: h.y. pan gaeon nhw
ein gorau glas: ein gorau
ysgoloriaeth: *scholarship*
stydio: astudio
sgwennodd: ysgrifennodd
llofft (G.C.): ystafell wely
gwibio: mynd yn gyflym
tynnodd . . . oddi amdano: *he undressed,* (tynnu oddi am)

o Orffennaf fel hon, meddai'r chwarelwr wrtho'i hun. Clywai leisiau gwyllt yn bloeddio rhyw gân Saesneg drwy ystryd gyfagos, a deuai hefyd sŵn cerddorfa-ddawns o rywle. Rhyw le rhyfedd oedd hwn.

---

bloeddio: gweiddi
cyfagos: *nearby*
deuai: roedd . . . yn dod

Pennod VIII

SABATH

Deffroes William Jones yn fore, ond arhosodd yn ei wely, gan syllu'n freuddwydiol o gwmpas y llofft. Gwenodd ar y darlun o Grad a Meri i'r dde o'r ffenestr. Y darlun a dynnwyd ar ddydd eu priodas ydoedd, Crad mewn dillad milwr â gwên go wirion ar ei wyneb, a Meri'n edrych yn ddifrifol iawn. Aethai yn agos i ugain mlynedd heibio er hynny.

Clywodd sŵn Meri'n mynd i lawr y grisiau cyn hir, a chododd yntau.

"Diar, be wyt ti isio codi mor fora, dywad?" meddai Meri wrtho pan gyrhaeddodd y gegin.

"Ond mae hi ymhell wedi wyth."

"Mae hynny'n fora ar ddydd Sul, William. Mi fydd y lleill yn 'u gwlâu am yn agos i ddwyawr arall. Na hidia; mi gawn ni damad o frecwast hefo'n gilydd."

Ar ôl brecwast aeth William Jones allan am dro, gan fwriadu dringo'r llwybr i'r mynydd. Ond wedi iddo gyrraedd pen yr ystryd, troes i'r chwith ac i lawr i'r pentref. Chwaraeai twr o blant ym mhob heol. Ysgydwodd William Jones ei ben yn drist: beth a ddywedai Mr. Lloyd? Pan gyrhaeddodd y brif heol, gwelodd ddwy siop wrth ochrau'i gilydd â'r ddau air TO LET yn fawr ar eu ffenestri, ac yr oedd un arall, siop esgidiau, yn wag tros y ffordd iddynt. Nodiodd William Jones ar ŵr bach cyflym a godai ei ben, yn wên i gyd, o'r papur Sul yr oedd newydd ei brynu. "Bora bach ffein?" meddai yntau, gan ateb ei gwestiwn ei hun ag "Odi, wir, w!" a gwên arall ar gynnwys y papur. Newyddion da o lawenydd mawr am *Golden Streak,* efallai. Pam na roesai'r dyn goler a thei am ei wddf? Yn enwedig ar fore Sul fel hyn.

---

yn fore: yn gynnar cf. mor fora
go wirion: *quite silly*
aethai: roedd . . . wedi mynd
dywad (G.C.): h.y. dywed(a)
gwlâu (G.C.): h.y. gwelyau
na hidia: paid â gofidio, *never mind*
twr o blant: llawer/tyrfa o blant
ffein: *fine*
cynnwys: *contents*
llawenydd: *joy*
pam na roesai'r dyn: pam na fyddai'r dyn yn rhoi

Yr oedd siop yr Eidalwr gerllaw ar agor, a chlywai chwerthin a chlebran uchel ynddi. Oni wyddai'r taclau ei bod hi'n ddydd Sul? Troes William Jones yn ei ôl yn bur anhapus ei feddwl.

Cafodd y teulu wrth eu brecwast o weddill y *sausage* a ddygasai Wili John o siop y cigydd. Yr oedd dagrau ar ruddiau Eleri.

"Hylô, be sy?" gofynnodd ei hewythr.

"O, meiledi yn daer am gael gadael yr ysgol," meddai ei mam. "Mae hi'n un ar bymtheg ac yn sâl isio mynd i weithio. I ble, dyn a ŵyr."

"I Lunden."

"Mae'n ddigon inni weld Arfon a Wili John wedi gadael yr ysgol," chwanegodd ei mam wrth Eleri, "heb orfod gwrando arnat ti'n swnian. Dy le di ydi gwneud dy ora yno, gan dy fod ti'n cael cyfla i fynd yn dy flaen. Yntê, Wncwl William?"

"Ia . . . Ia, wir," meddai William Jones yn ddwys.

Crad, William Jones a'r plant oedd yr unig rai yn y capel am rai munudau, ond dechreuodd y gynulleidfa fechan ymgasglu cyn hir. Gwyliodd William Jones hwy'n mynd i'w seddau—pobl ganol oed neu rai hŷn bron i gyd. Beth a ddeuai o'r capeli ymhen ugain mlynedd, tybed? Clywsai lawer o sôn am gynulleidfaoedd mawrion y Sowth, am bregethwyr yn ysgwyd tyrfaoedd, am ganu a ymchwyddai'n donnau ysblennydd. Ond yma, ym Mryn Glo, gwelsai mai'r papur Sul a siop yr Eidalwr a ddenai'r ieuainc—yn y bore, beth bynnag: ond efallai y byddai pethau'n o wahanol erbyn y nos. Gwelodd David Morgan yn cymryd ei le yn y Sêt Fawr, ac wrth ei ochr eisteddodd gŵr ifanc unfraich. "Hogyn Dai Morgan," sibrydodd Crad. "Colli'i fraich yn y pwll." Yna daeth y gweinidog i mewn gan ysgwyd llaw â'r blaenoriaid cyn dringo i'r pulpud. Gŵr tua deugain oed

---

gerllaw: yn agos
clebran: *chatter*
taclau: *rascals*
a ddygasai W.J.: yr oedd W.J. wedi dod â
gruddiau: bochau, *cheeks*
meiledi: *my lady*
yn daer: *earnestly*
dyn a ŵyr: h.y. *goodness knows*
swnian: h.y. *going on and on*
i fynd yn dy flaen: h.y. i wella dy hunan
dwys: difrifol
cynulleidfa: *congregation*
beth a ddeuai?: beth fyddai'n dod?
ymchwyddo: *to surge, to swell*
ysblennydd: *splendid*
gwelsai: roedd wedi gweld
a ddenai: a oedd yn denu *(to attract)*
ieuanc: y bobl ifanc
blaenoriaid:*deacons*

ydoedd, ond â'i wallt brith a'i wyneb dwys yn gwneud iddo ymddangos rai blynyddoedd yn hŷn na hynny. Yr oedd cywirdeb ac onestrwydd yn amlwg ynddo, ym mhob edrychiad ac osgo. Arafwch duwiol addfwynder cysglyd, a swnian pregethwrol oedd syniad William Jones o weinidog. Ond yn syml a chywir y lediai hwn yr emyn cyntaf, heb gŵyn na chryndod yn ei lais. Felly y darllenai William Jones ei hun y geiriau, ac yr oedd hi'n amlwg nad oedd y John Rogers 'ma'n llawer o bregethwr. Yr oedd twyllo Crad yn waith go hawdd, meddai William Jones wrtho'i hun. Ac eto . . .

"Wel, be wyt ti'n feddwl ohono fo, William?" oedd cwestiwn Crad ar y ffordd adref.

"Dydi o ddim fel pregethwr, fachgan."

"Y?"

"Ddim yn gwneud llais, na mynd i hwyl, na gwisgo colar galad a thei du. Mae o yr un fath â chdi ne' fi."

"Ond pa ods am hynny?" Yr oedd tôn Crad braidd yn llym.

Yr oedd cynulleidfa lawer cryfach yn y capel yn yr hwyr, ond sylwodd William Jones eto mai pobl mewn oed oeddynt gan mwyaf. Cofiai Meri, meddai hi ar y ffordd i'r gwasanaeth, amser pan na fyddai gobaith i rywun gael sedd yn y capel heb gyrraedd yno cyn chwarter i chwech, ond yn awr, y galeri i gyd yn wag a llawer o seddau gweigion ar y llawr. Ysgydwodd William Jones ei ben yn ddwys. Ond rhywbeth tebyg oedd pethau yn Llan-y-graig, o ran hynny.

Nid oedd William Jones yn ganwr, er bod ganddo lais pur swynol. Rhyw lusgo drwy bob emyn y byddai'r gynulleidfa yn Llan-y-graig. Yn wir, er dyddiau'r *Band of Hope,* bodlonodd ar

---

gwallt brith: gwallt llwyd ei liw
dwys: difrifol
yn hŷn na: yn hynach na
cywirdeb: *sincerity*
onestrwydd: *honesty*
osgo: *bearing*
duwiol: crefyddol
addfwynder: *gentleness*
swnian: *going on and on*
cywir: *sincere*
y lediai hwn: yr oedd hwn yn arwain
cŵyn: swn trist
cryndod: *quivering*
twyllo: *to deceive*
chdi (G.C.): ti
llym: *sharp*
yn hwyr: *the evening*
gweigion: gwag
yn ddwys: *seriously*
pur swynol: eithaf hyfryd
llusgo: *to drag*
bodlonodd ar: *he was content with*
(bodloni ar—*to be content with*)

fywyd digân. Rhoes William Jones y meddyliau hyn o'r neilltu wrth godi i ganu'r emyn cyntaf ac i gydio yn y llyfr a ddaliai Eleri iddo. Tawodd yr organ a chododd David Morgan, yr arweinydd, ei law. Agorodd William Jones ei geg i ganu'n beiriannol ac isel fel y gwnâi yn Llan-y-graig ond ymhen ennyd troes ei ben i wrando ar y lleisiau o'i amgylch yn ymdoddi i'w gilydd ac i syllu'n syn ar yr eiddgarwch a lanwai'r wynebau. Rhoes William Jones yntau ei fawd ym mhoced ei wasgod a sgwariodd ei ysgwyddau. Onid oedd yntau'n denor? Oedd, yn llawn cystal tenor â'r dyn o'i flaen. Diawch, mae'r hen William yn medru canu, meddai Crad wrtho'i hun.

Yn ei weddi, diolchodd Mr. Rogers am y nerth a'r gwroldeb a flodeuai o'u hamgylch yng nghanol tlodi a chyni. "Diolchwn am ddewrder y wên ar eu hwynebau, am y lleisiau sy'n ymddangos mor llon er gwaethaf drygfyd, am y llygaid disyfl, am y dwylo parod caredig . . ."

"Duw, cariad yw," oedd testun y bregeth, ac yr oedd hi'n amlwg i Grad i'w frawd yng nghyfraith fwynhau'r bregeth. Cafodd gip ar y gloywder yn ei lygaid ac ar y wên o edmygedd a chwaraeai ar ei wefusau. Yna codasant i ganu, a theimlai Crad yn falch o'r llais tenor peraidd a ddeuai o'i sedd. Yr oedd yn gryfach, yn fwy ffyddiog, y tro hwn hefyd.

Yng Nghalfaria, capel mwyaf y lle, y cynhelid y cyngerdd, a chodasid yno lwyfan uwchben y Sêt Fawr. Gwyliodd William Jones y côr yn cerdded i'r llwyfan. Mr. Rogers oedd y llywydd, ac wedi gweddi fer, gwahoddodd y côr a'r gynulleidfa i ymuno i ganu emyn. Caeodd William Jones ei lygaid i wrando ar y môr o gân a godai o'i amgylch ac o'i flaen; ni chlywsai ef ei debyg

---

o'r neilltu: *aside*
tawodd: distewodd, (tewi—*to be silent*)
peiriannol: *mechanically*
fel y gwnâi: fel roedd e'n arfer gwneud
ymdoddi i'w gilydd: h.y. yn llifo i mewn i'w gilydd
eiddgarwch: *eagerness*
nerth: cryfder
gwroldeb: dewrder
cyni: caledi
drygfyd: byd drwg
disyfl: disymud
cip: *a glance*
gloywder: *brightness*
edmygedd: *admiration*
peraidd: hyfryd
ffyddiog: hyderus, *confident*
y cynhelid y cyngerdd: yr oedd y cyngerdd yn cael ei gynnal
codasid yno lwyfan: roedd llwyfan wedi cael ei godi yno
ni chlywsai: doedd e ddim wedi clywed
ei debyg: dim byd tebyg *(like)* iddo

erioed. Edrychodd o'i gwmpas ar y bobl, gan ryfeddu bod cân yn eu deffro drwyddynt fel hyn. Ac yr oedd yn y gynulleidfa liaws mawr o bobl ifainc—yn addoli mewn moliant.

"Diawch, maen nhw'n edrach yn dda," sibrydodd Crad wedi iddynt eistedd.

"Pwy"?"

"Y côr. Dyna iti hogia, William!"

"O?"

"Edrych arnyn nhw, mewn difri, mor lân a theidi ar y llwyfan 'na. Côr o gant a deugain, a does 'na ond rhyw hanner dwsin mewn gwaith. Dyna iti hogia!"

Ac wrth wrando ar y côr dywedodd William Jones Amen—yn dawel wrtho'i hun. Pur anaml y clywid côr yn Llan-y-graig—ar wahân i un Y Bwl ar nos Sadwrn—a theimlai wrth eistedd yn y cyngerdd hwn iddo grwydro i ryw fyd dieithr, ysblennydd. Digwyddodd edrych ar y cloc cyn hir, a sylweddoli gyda braw ei bod hi'n tynnu at ddeg o'r gloch; llithrasai'r amser heibio fel breuddwyd.

A phrin y gallai Crad gael gair o'i ben ar y ffordd adref.

"Be oeddat ti'n feddwl o'r consart, William?" oedd cwestiwn Meri amser swper.

"Wyddwn i ddim bod y fath ganu yn y byd, hogan," oedd yr ateb, a swniai braidd yn floesg.

---

drwyddynt: drwyddyn nhw
lliaws: llawer iawn (o bobl)
yn addoli mewn moliant: *worshipping in praise*
iddo: *that he*
braw: ofn
yn tynnu at: *getting on for*
llithrasai'r amser: roedd yr amser wedi llithro, *(to slip)*
swniai: *she sounded,* (swnio)
bloesg: *indistinct*

Pennod IX

SOWTHMAN

Aethai rhyw bedwar mis heibio. Ar eu ffordd i'r Clwb i drwsio'u hesgidiau yr oedd ef a Chrad. Ystabl fawr fuasai'r "Clwb" unwaith, ond trowyd hi bellach yn rhyw fath o weithdy i'r di-waith. Prynent ledr a choed yn rhad yno, a chaent arfau a chyfle i drwsio'u hesgidiau neu i lunio dodrefnyn neu degan o bren.

Agorodd William Jones y llythyr a ddaliai yn ei law; daethai'r post pan gychwynnent o'r tŷ.

"O Lan-y-graig, William?"

"Ia. Oddi wrth Bob, fy mhartnar."

"Rhyw newydd?" gofynnodd Crad wedi i'w frawd yng nghyfraith ddarllen y llythyr.

"Oes, fachgan. Bob wedi bod yn siarad hefo Tom Owen, y Stiward, a hwnnw'n cynnig fy lle yn ôl imi. Cerrig *champion,* medda Bob, un o'r bargeinion gora fu gynno fo 'rioed. Mae o'n gwneud cyflog reit dda."

"Be wnei di, William?"

"Aros yma."

"Chwara teg i Tom Owen, yntê?"

"Ia, wir. Mi yrra i air ato fo i ddiolch iddo fo. Ac os bydd y cynnig yn dal ymhen rhyw fis neu ddau . . . Wn i ddim . . . Ond mae gan Bob newydd arall. Am Leusa."

"O?"

"Mae hi wedi dechra gwnio yn y tŷ. Gwniadwraig oedd hi cyn priodi, fel y gwyddost ti. Ac mae Ifan, 'i brawd, wedi symud i fyw ati hi. Wedi rhentio'i dŷ 'i hun, os gweli di'n dda, a gwneud 'i gartra yn fy nhŷ i."

---

aethai: roedd . . . wedi mynd
buasai'r "Clwb": roedd y "Clwb" wedi bod
caent: bydden nhw'n cael
arfau (G.C.): offer
llunio: *to fashion*
dodrefnyn: *a piece of furniture*
daethai'r post: roedd y post wedi dod
bargeinion: wynebau o graig yn y chwarel lle roedd y chwarelwyr yn gweithio
gyrru (G.C.): anfon, hala (D.C.)
gwniadwraig: gwraig sy'n gwnïo

"Tŷ Leusa."

"Y? . . . Ia. Ond rydw' i'n gyrru punt iddi hi bob wsnos."

"Gyr chweugain iddi, William, a gofyn i'r Ifan Siwrin 'na dalu hannar y rhent."

"Na, mi gadwa i at y cytundeb hwnnw tra medra i." Derbyniasai gytundeb oddi wrth gyfreithiwr o Gaernarfon yn ei rwymo i dalu punt yr wythnos yn rheolaidd i'w wraig.

Cyrhaeddodd y ddau yr ystabl a elwid yn Glwb ac aeth Crad ati ar unwaith i drwsio esgidiau Wili John. Dringodd William Jones y grisiau i'r llofft, gan wybod y byddai David Morgan yn y fan honno. Yr oedd ef a'r cerddor yn gyfeillion mawr erbyn hyn a'r chwarelwr yn un o aelodau ffyddlonaf y côr. Cafodd yr arweinydd wrthi'n rhwbio â phapur cras y silffoedd llyfrau a luniasai i'w fab, Idris.

"Ma' fa'n achwyn obothdu'i lyfra o hyd—dim lle 'da fa i'w rhoi nhw. A llyfra Idris yw popeth yn tŷ ni. Ond 'na fe, dyw Idris ddim yn gallu wara'r organ nawr fel odd a."

Na, ni chanai'r bachgen unfraich yr organ yn awr. Collasai ei fraich yn y pwll, a'i dad gerllaw yn gwylio'r ddamwain. Bu am ryw naw mis mewn ysbyty, ac yna dychwelodd adref yn wrol ac yn siriol, a chafodd waith i ofalu am lyfrgell Neuadd y Gweithwyr. Ei ofid mwyaf oedd na allai ganu'r organ yn y capel fel cynt, ond darllenai lyfrau am gerddorion a cherddoriaeth yn lle hynny.

Soniodd William Jones am y llythyr a dderbyniasai o'r Gogledd ac am y gwahoddiad yn ôl i'r chwarel.

"Ond dych chi ddim yn mynd, odych chi?" gofynnodd David Morgan.

"Wel . . ."

"Allwch chi ddim gadal y côr, bachan."

"O, fydd dim llawar o gollad ar f'ôl i."

---

gyr (G.C.): anfona, hala (D.C.)
derbyniasai: roedd wedi derbyn
rhwymo: *to bind*
a elwid: a oedd yn cael ei alw
papur cras: *rough/sand paper*
a luniasai: yr oedd e wedi'i lunio, *(to fashion)*
achwyn: cwyno
obothdu (D.C.): am, *about*
wara (D.C.): h.y. chwarae
odd a: h.y. oedd e
gerllaw: yn ymyl
gwrol: dewr
siriol: *cheerful*
gofid: *worry*
fel cynt: fel o'r blaen
collad: h.y. colled, *loss*

"Na fydd a? Fi sy'n gwpod 'ynny, nid chi. A pheth arall, dych chi ddim yn mynd i golli'r perfformans! A chitha heb glywad y *Messiah* 'riod! Na, allwch chi ddim gadal nawr, William."

Pan gyrhaeddodd William Jones waelod y grisiau, taflodd Crad wên slei tuag ato.

"Roeddwn i'n meddwl mai dŵad yma i drwsio dy sgidia yr oeddat ti, William."

"Wel, ia, fachgan, ond dechra clebran, wel'di, a . . ."

* * * *

Yr oedd tri diddordeb mawr ym mywyd William Jones erbyn hyn—y capel, lle ni chollai un oedfa; y côr (onid ef oedd y Trysorydd?); a Mot, y ci a brynasai Wili John. Yr oedd Mot bellach yn bedwar mis oed, a châi lawer o sylw gan bawb yn y tŷ. Daethai William Jones o hyd iddo ar un o'i deithiau ofer i chwilio am waith. Cerddasai un diwrnod dros y mynydd i'r cwm agosaf, a mentrodd alw yn swyddfa'r gwaith. Wedi iddo egluro na fuasai erioed dan ddaear ond ei fod yn chwarelwr go lew ac yn ddirwestwr selog, troes ymaith yng nghwmni glowr bychan, bywiog, o'r enw Sam Ifans.

"Lle ych chi'n mynd nawr?" gofynnodd hwnnw.

"Yn ôl dros y mynydd."

"Dim heb i chi gal dishglad o de, bachan. Dewch 'da fi."

Ac fe'i cafodd William Jones ei hun mewn tŷ na welsai ei lanach erioed. Dyna un peth a wnâi iddo ryfeddu—y glendid a'r balchder yn y tai. Tŷ David Morgan, er enghraifft. Tŷ Ned Andrews dros y ffordd. Go flêr oedd cartref Shinc. Ond yr oedd gan Shinc ryw esgus; yr oedd ei wraig yn fwy hoff o fynd o gwmpas i ganu nag o lanhau'r tŷ.

---

gwpod: h.y. gwybod
'ynny: h.y. hynny
clebran: *to chatter*
a brynasai W.J.: yr oedd W.J. wedi'i brynu
câi: roedd e'n cael
daethai W.J. o hyd iddo: *W.J. had found him,* (dod o hyd i—*to find*)
ofer: *vain*
egluro: *to explain*
na fuasai: nad oedd wedi bod
dirwestwr: *abstainer*
selog: *zealous*
dishgled: h.y. dysglaid/cwpanaid
na welsai: nad oedd wedi gweld
a wnâi: a oedd yn gwneud
balchder: *pride*
go flêr (G.C.): eithaf anniben

Darganfu William Jones nad oedd y glöwr bychan, bywiog, mor ddibryder â hynny. Yn wir, yr oedd gofid fel plwm yng nghalon Sam Ifans. Trannoeth, yr oedd i golli Nel, yr ast a garai ef a'i wraig gymaint. Rhywfodd neu'i gilydd, ni chawsai nodyn swyddogol o'r Llythyrdy dechrau'r flwyddyn yn ei atgofio bod arno saith a chwech am drwydded Nel. Ond yn sydyn, rai wythnosau cyn ymweliad William Jones, cofiodd rhyw glerc yn rhywle fod ar Samuel Evans, 21 Colliers Row, Cwm Llwyd, saith a chwech am gadw ci, gyrrwyd heddgeidwad i'r tŷ i fygwth mynd â'r ast ymaith. Ateb Nel i hyn oedd cyflwyno i'r byd, y diwrnod ar ôl ymweliad y plisman, dri o gŵn bach tlws dros ben.

"Be ydach chi am wneud hefo'r cŵn bach 'ma?" oedd cwestiwn William Jones wedi iddo glywed yr hanes.

"Smo i'n gwpod, wir. Sneb yn moyn cŵn nawr, w. Dim arian, chi'n gweld."

"Fasach chi'n gwerthu un i mi?"

"Pidiwch â siard dwli. Cymerwch un. P'un ych chi'n moyn?"

"Hwn'na â'r tei gwyn 'na ar 'i frest o. Ond mae'n rhaid imi gael talu amdano fo."

"Talu! Hwrwch! Fe allwch 'i gario fa yn eich poced."

"Reit. Faint oeddach chi'n ddeud oedd y leisans, hefyd?"

"Saith a wech."

"O, ia. Wel, yr ydw i wedi bod yn chwilio am gi bach ers . . . ers pythefnos, ac yn . . . yn methu'n glir â chael un i'm plesio. A dyma fi wedi dŵad o hyd i un o'r diwadd, y ci bach dela welis i 'rioed. Isio un i Wili John, hogyn fy chwaer, ydach chi'n dallt. Mi fydd o wrth 'i fodd."

---

darganfu W.J.: *W.J. discovered,* (darganfod)
dibryder: heb ofid, *free from care*
gast: *bitch*
rhywfodd neu'i gilydd: *somehow or other*
ni chawsai: doedd e ddim wedi cael
bod arno: *that he owed,* (bod ar—*to owe*)
trwydded: *licence*
gyrrwyd (G.C.): anfonwyd
heddgeidwad: plismon
bygwth: *to threaten*
ymaith: i ffwrdd
yr hanes: y stori
smo i (D.C.): dydw i ddim
gwpod (D.C.): h.y. gwybod
sneb: does (dim) neb
moyn (D.C.): eisiau
hwrwch: (D.C.): cymerwch
wech (D.C.): h.y. chwech
dŵad (dod) o hyd i: to find
dallt (G.C.): h.y. deall

A thra siaradai, darganfu dri hanner coron yn ei bwrs a'u taro ar y bwrdd.

Aethai rhyw bedwar mis heibio er hynny, ac enillasai Mot ei le bellach fel aelod pwysig iawn o'r teulu, y ci bach gorau yn y byd.

Wili John oedd y drwg pennaf. Darllenasai William Jones yn rhywle mai un pryd y dydd oedd orau i gi, a phenderfynodd gadw at y rheol honno. Ond gan y gweithiai Wili John mewn siop gigydd, cludai adref ddigon o esgyrn a darnau o gig i fwydo holl gŵn y sir.

Meri a gwynai fwyaf am y ci. Cyn gynted ag y golchai hi lawr y gegin fach, fe ruthrai Mot i mewn i'w addurno ag ôl ei draed. Neidiai hefyd, yn wlyb ac yn fudr, i'r gadair orau, a chafwyd ei ysgrifen un diwrnod ar wely Eleri. Beth a ellid ei wneud, mewn difrif? Penderfynodd William Jones geisio'i werthu i rywun, ac os methai, ei ddifodi. "Be?" meddai Meri. "Gwerthu Mot! Tyd yma, 'ngwas del i iti gal asgwrn bach arall. Tyd; yr wyt ti'n werth y byd, on'd wyt?"

* * * *

Y capel, y côr, a'r ci—ond yr oedd gan William Jones ddiddordebau eraill hefyd ym Mryn Glo. Âi ef a Chrad bob bore i lawr i'r *Workmen's,* fel y dysgodd alw Neuadd y Gweithwyr, am gip ar y papur newydd a sgwrs hefo hwn a'r llall. Trawodd i mewn i'r llyfrgell yno un diwrnod, a darganfu, ymhlith rhai miloedd o lyfrau, ddyrnaid o rai Cymraeg. Treuliai ambell noson hefyd yn festri Salem, yn gwrando ar y radio, neu ar ddarlith neu drafodaeth a drefnai Mr. Rogers yno. Pan fyddai llun go

---

darganfu: *he discovered,* (darganfod)
aethai: roedd . . . wedi mynd
enillasai Mot: roedd Mot wedi ennill
pennaf: h.y. mwyaf
darllenasai W.J.: roedd W.J. wedi darllen
gan y gweithiai W.J.: gan fod W.J. yn gweithio
cludai: cariai, roedd e'n cludo/cario
yn fudr (G.C.): yn frwnt
beth a ellid: *what could,* (gallu)
mewn difrif: *in all seriousness*
difodi: *to exterminate*
tyd (G.C.): dere (D.C.), *come!*
del: pert
cal: h.y. cael
âi ef: byddai e'n mynd
am gip: *to have a look*
trawodd i mewn: *he dropped in,* (taro i mewn)
dyrnaid: *handful*
trafodaeth: *discussion*

dda yno, denai Wili John ef i'r sinema, a gallai sgwrsio'n bur ddoeth bellach am rai o hoelion wyth y darluniau byw. Âi hefyd bron bob prynhawn Sadwrn i wylio'r gwŷr ifainc yn chwarae Rygbi yn y cae wrth yr afon, a siaradai gyda pheth awdurdod am "lein owt" a "threi" a "sgrym".

Rhaid egluro hefyd fod William Jones yn troi'n dipyn o Sais wrth ddarllen y papur dyddiol a gorfod sgwrsio'n Saesneg â llawer un mewn siop ac ar yr heol. Ac ymhlith llyfrau ysgol Wili John ac Arfon, darganfu'r gyfrol a gyffroes ei feddwl gymaint pan oedd yn fachgen—"Treasure Island". Penderfynodd geisio'i ddarllen, a mawr oedd y blas a gafodd arno. Rhai o storïau Hans Andersen a ddarllenai ar hyn o bryd, a deffrowyd ei ddiddordeb gan gip ar amryw eraill—yn eu plith, "The Cloister and the Hearth," "Silas Marner," ac "Ivanhoe". Barn Meri oedd bod ei brawd yn "ddarllenwr mawr".

Rhwng popeth, âi'r dyddiau a'r wythnosau heibio'n gyflym. Cadwai'r côr William Jones yn hynod brysur; cyfarfyddai yn awr deirgwaith yr wythnos, ac ni chollai ef un cyfarfod.

Sylwai Meri a Chrad y soniai lai bob dydd am Bob Gruffydd a Thwm Ifans, a mwy o hyd, a chyda brwdfrydedd mawr, am Mr. Rogers neu David Morgan. Ac fel y nesâi'r Nadolig a'r ŵyl gerddorol, âi'r teulu i gredu mai "côr William Jones" oedd "côr Dai Morgan" mwyach.

* * * *

Chwarae teg i siopwyr Bryn Glo, gwnaethant ymdrech deg i addurno'r ffenestri at y Nadolig. A'r noson cyn y Nadolig bu hi'n dipyn o ddadl yn y tŷ.

"William," meddai Meri ar ôl te, "mae Crad a finna wedi bod yn siarad hefo'n gilydd."

---

yn bur ddoeth: *quite wisely*
bellach: erbyn hyn
hoelion wyth: *stalwarts*
darluniau byw: ffilmiau
ymhlith: *amongst*
y gyfrol: *the volume*
a gyffroes: *which excited*
y blas: h.y. *the enjoyment*
cip: *glimpse*
amryw eraill: *a number of others*
yn eu plith: *in their midst*
barn: *opinion*
âi: roedd y . . . yn mynd
cyfarfyddai: roedd yn cyfarfod
brwdfrydedd: *enthusiasm*
nesâi'r Nadolig: roedd y Nadolig yn agosáu/nesáu
mwyach: bellach, erbyn hyn
dadl: *debate*

"O?"

"Am y 'Dolig a phresanta a phetha felly. Dydan ni ddim am wneud llawar o ffys 'leni, gan 'i bod hi fel y mae hi arnon ni, a . . ."

"Ia?"

"Wel, roedd Crad yn deud iti godi arian yn y Post bora 'ma, ac roedd o'n rhyw ofni dy fod ti am fynd i siopa heno, a . . ."

"Ydw."

"Wel, dim ond un wyt ti a ninna'n bump. Ac roeddan ni'n meddwl os liciet ti brynu tun o daffi ne' rwbath rhwng pawb . . ."

"Ond mae gin i ddigon o bres, Meri, ac wedi'r cwbl, dim ond unwaith mewn blwyddyn y daw'r 'Dolig."

"Os pryni di dun o daffi rhyngddyn nhw," meddai Meri, "mi fyddan nhw wrth 'u bodd."

"Ydach chi'ch dau yn rhoi presanta iddyn nhw?"

"Wel . . . y . . ." Tawodd Crad.

"Ydan," atebodd Meri, "ond nid presanta ydyn nhw mewn gwirionadd ond petha y mae 'u hangen nhw—crys i Arfon, jympar i Eleri, macintosh i Wili John. Os lici di brynu tipyn o dda-da ne' ffrwytha iddyn nhw, William . . . Ond dim presanta, cofia."

"Na, dim presanta," meddai Crad.

"Na, dim presanta," cytunodd William Jones.

Aeth i lawr i'r pentref cyn hir, gan deimlo braidd yn ddigalon. Safodd o flaen yr Emporium i syllu ar yr anrhegion yn y ffenestr, a gwelodd yno dun o daffi hanner coron ei bris. Aeth i mewn i'r siop.

"Y tun 'na o daffi, os gwelwch chi'n dda."

Wedi i'r ferch bacio ac iddo dalu amdano,

"Rhwbath arall, syr?" gofynnodd hi.

"Wel, oes, mae arna i isio'ch help chi, os byddwch mor ffeind. Wili John."

"Wili Bwtsiwr?"

"Y? . . . O, ia. Isio presant iddo fo."

---

am wneud: eisiau gwneud
am fynd: yn bwriadu mynd
tawodd: distewodd, (tewi)
mewn gwirionadd/gwirionedd: *in fact*
angen: *need*
da-da: losin, *sweets*

"Beth am y mowth-organ, 'ma, nawr?" A denodd gwefusau y ferch nodau pêr ohono.

"Diar, un da, yntê? Faint ydi o, os gwelwch chi'n dda?"

"Pedwar a wech, syr. Ddo' cethon ni'r rhein."

"Tewch, da chi! Reit. Mi fydd Wili John wrth 'i fodd."

"Rhwbath arall, syr?"

"Oes, mae arna i isio presant i Eleri. Be ga i, deudwch?"

"Ma' 'Leri yn y Cownti, on'd yw hi? Beth am ffownten-pen?"

"Rargian, ia, ffownten-pen fasai'n beth hwylus iddi hi, yntê? Wnes i ddim meddwl am ffownten-pen o gwbwl."

"'Ma chi rai nêt, syr. Pum swllt."

"Tewch, da chi! Dim ond pum swllt! Beth am yr un werdd 'ma? Hon ydw i'n licio."

"On'd yw hi'n un neis? 'Na falch fydd 'Leri!"

"Bydd, ydw i'n siŵr. A rŵan mae arna i isio rhwbath i Meri—i fam Eleri."

"Dewch draw fan hyn, syr, i chi gael gweld y ffedoga 'ma. Ma' nhw'n lyfli. Dim ond tw and lefn."

Edrychodd William Jones ar y ffedogau lliw fel petai'n taflu golwg feirniadol ar res o lechi Dic Trombôn.

"Yr un goch a glas 'ma," meddai, gan ddewis un o ganol y rheng. "Ydach chi'n meddwl y bydd Meri—Mrs. Williams—yn 'i hoffi hi?"

"Diar, bydd, yn dwli arni hi."

Ac yn awr, Arfon. Beth a gâi ef i Arfon?

"Faint yw'r teis 'na, os gwelwch chi'n dda? Mae arna i isio un i Arfon."

"Hanner coron. Poplin."

"Y?"

"Poplin."

"O."

---

pêr: hyfryd
wech (D.C.): h.y. chwech
ddo': h.y. ddoe
cethon ni: h.y. cawson ni, (cael)
tewch!: *be quiet, you don't say,* (tewi)
rargian: h.y. *good grief/gracious*
hwylus: *handy*
nêt: *neat* h.y. da
swllt: *a shilling,* 5c.
ffedoga: h.y. ffedogau, *aprons*
golwg feirniadol: *a critical look*
yn dwli arni hi: *mad about it*
beth a gâi: beth fyddai'n ei gael

"'Ma chi un neis, syr."

"Gormod o liw ynddo fo. Mae'n well gin i hwn, yr un llwyd 'ma a sbotia du arno fo."

"Ond bachgen ifanc yw Arfon, syr, a ma' hwn yn rhy hen iddo fa." Bu bron iddi ag awgrymu mai tei iddo ef ei hun a brynai William Jones.

"Ydi, 'falla. Ydi, yn rhy hen i Arfon. Hwn 'ta."

"Ond . . ." Nid oedd llawer mwy o liw yn yr ail dei.

"Ond be, 'merch i?"

"Wel, chi sy'n gwpod, wrth gwrs, ond y rhai streip 'ma—*Club colours*—ma'r bechgyn yn lico."

"Ia, ond tei ar gyfer y Sul oeddwn i'n feddwl gal iddo fo. Fe wnaiff hwn yn gampus, yn *champion*."

"Reit. Rhywbeth eto, syr?"

"Crad—Mr. Williams."

"Tei?"

"Na, mi dorrodd 'i fresus y diwrnod o'r blaen."

"Braces?"

"Ia, wrth wyro i drio trwsio beic Wili John. A dim ond tamaid o linyn sy'n cadw'i drowsus o rhag . . ."

"Hanner coron yw'r rhain, syr. Rhai cryf iawn."

"I'r dim, 'nginath i, i'r dim."

* * * *

Dychwelodd William Jones i'r tŷ'n llwythog, ond medrodd sleifio i'r llofft i guddio'r parseli yn y fasged wellt oedd o dan ei wely. Galwasai hefyd yn y siop ffrwythau i brynu cnau a ffigys ac afalau. Daria, dim ond unwaith mewn blwyddyn y dôi'r Nadolig, onid e?

Yr oedd hi wedi deg ar Arfon yn cyrraedd adref, a bu'r teulu ar eu traed yn hwyr yn cael hanes Slough ganddo.

"Pawb i gysgu'n hwyr 'fory," oedd gorchymyn Meri pan droesant i'w gwelyau.

---

iddo fa: h.y. iddo fe
'falla: h.y. efallai
gwyro: plygu
i'r dim: perffaith
yn llwythog: *loaded*
galwasai: roedd wedi galw
daria: *drat it!*
y dôi'r Nadolig: yr oedd y Nadolig yn dod

Ond deffroes Wili John am hanner awr wedi saith fel arfer, a rhoes bwniad i'w ewythr.

"Nadolig llawen, Wncwl William!"

"Y? . . . Ac i chditha, 'ngwas i. Hanner munud."

A chododd William Jones i dynnu'r fasged wellt o'i chuddfan.

"Hwda, dyma iti bresant bach. Fedri di 'i ganu o?"

"'I ganu fa? Galla!" A dechreuodd *Tipperary* ruo drwy'r tŷ.

"Sh! Paid, Wili John, ne' mi fyddi di'n deffro'r tŷ—a'r pentra i gyd."

"Oreit. Yn dawal fach, 'ta."

A chafwyd datganiad gweddol gywir o hanner dwsin o donau Saesneg poblogaidd.

"Wili John?"

"Ia, Wncwl?"

"Mae hi'n fora Nadolig, wel'di. Be am garol ne' ddwy?"

"Reit."

A daeth *While shepherds watched* . . . a *Good King Wenceslas* allan o'r organ-geg. Daeth hefyd sŵn Mot yn nadu i lawr y grisiau.

"Sh! Mae 'na rywun yn dŵad, fachgan."

Daeth Meri i mewn. "Be sy'n mynd ymlaen yma, mi liciwn i wbod?" gofynnodd.

Ond fe gysgai'r ddau yn drwm, Wili John â'i ben o dan y dillad.

Cymerodd Meri arni fod yn ddig iawn wrth ei brawd pan ddaeth ef â'i barsel i lawr y grisiau, a rhoes dafod i Grad am chwerthin. Ond yr oedd hi'n hynod falch o'r ffedog, ac addawodd iddi ei hun y gwisgai hi'r prynhawn hwnnw. Mawr oedd llawenydd Eleri wrth drio'r ysgrifell, a dywedai Crad iddo benderfynu prynu bresus yr wythnos wedyn. "Wedi hen flino ar drwsio'r taclyn," meddai. A thu allan yn yr ystryd ni thawai organ-geg Wili John.

Dygasai Arfon hefyd anrhegion adref—chweugain yr un i'w dad a'i fam, crafat i Wili John, llyfr i Eleri, a thei i'w ewythr.

---

pwniad: *a nudge*
chditha (G.C.): h.y. tithau, a TI
cuddfan: *hiding place*
hwda (G.C.): hwre (D.C.), *take!* cymera
datganiad: *rendering*
nadu: *to howl*
cymerodd Meri arni: *Mari pretended,* (cymryd ar)
hynod falch: h.y. *very pleased/glad*
ysgrifell: pen ysgrifennu
y taclyn: *the contraption*
dygasai Arfon: roedd Arfon wedi dod ag anrhegion, (dwyn—*to bring*)

Diolchodd William Jones yn gynnes iddo am y tei, er gwybod na wisgai ef mohoni byth. Buasai Arfon hefyd yr un mor foesgar ychydig funudau ynghynt. Mentrodd Meri gael ei hystyried yn anfoesgar.

"Tei i hogyn ifanc ydi hwn'na, Arfon," meddai. "A thei i ddyn mewn oed mae d'ewyth' wedi'i brynu i ti. Yr ydw i'n cynnig eich bod chi'n ffeirio."

"Fasa'n well gin ti gael hwn, Arfon?"

"Reit, 'ta. Fe swopwn ni, Wncwl."

Yr oedd William Jones wrth ei fodd. Daria unwaith, y Nadolig gorau a gofiai ef. Wedi iddynt gael brecwast, canodd i gyfeiliant yr organ-geg, gwisgodd ffedog newydd Meri o ran hwyl, paffiodd â Mot, a dechreuodd ef ac Arfon chwarae rygbi hefo clustog fel pêl. Yna daeth cnoc uchel y postman, a dug Eleri bentwr o lythyrau i mewn. "Ma' 'na dri i chi, Wncwl," meddai.

Oddi wrth Leusa oedd y cyntaf—cerdyn Nadolig addurnol yn ei sicrhau mewn Saesneg yr un mor lliwgar fod eu cyfeillgarwch fel y gelynnen, yn fythol wyrdd. Trosglwyddodd ef i Grad gyda gwên braidd yn gam. Ond syllodd yn hir ar y ddau arall—un oddi wrth Bob Gruffydd a'r llall oddi wrth blant Twm Ifans i "Yncl William". Sut yr oedd pethau'n mynd yn Llan-y-graig erbyn hyn, tybed? Chwarae teg i'r hen Fob am gofio amdano, onid e? Diar, yr oedd yna le yn nhŷ Twm Ifans heddiw, onid oedd? Âi ef draw i'r Hendre i de bob dydd Nadolig, a chofiai'r hwyl a gawsai flwyddyn ynghynt yn adrodd stori wrth Gwen a Megan a Meurig. Gwelodd Meri fod y dagrau'n dechrau cronni yn llygaid ei brawd.

"Rŵan, allan â chi'r dynion i gyd," meddai, "i Eleri a finna gael llonydd i wneud y cinio. Ewch o'r ffordd, wir."

---

er gwybod: *although knowing*
moesgar: cwrtais
mentrodd Meri: *Meri dared,* (mentro)
ystyried: *to consider*
cynnig: *to propose*
ffeirio: *to exchange*
cyfeiliant: *accompaniment*
o ran hwyl: *for fun*
dug Eleri: daeth Eleri â, (dwyn—*to bring*)
addurnol: *decorative*
cyfeillgarwch: *friendship*
y gelynnen: *the holly tree*
yn fythol werdd: yn wyrdd am byth/o hyd
trosglwyddodd ef: *he handed it over*
âi ef: roedd e'n (arfer) mynd
cronni: casglu
llonydd: tawelwch

Gwenai Crad a'i frawd yng nghyfraith ar ei gilydd wrth gerdded i lawr i'r pentref a gwylio plant yn chwarae â'u teganau yn yr heolydd. Cofient lawer tegan yn cael ei lunio yng Nghlwb y Diwaith. Ia, hogyn hwn-a-hwn, y mae'n rhaid, meddent, gan gofio am y tad yn chwysu wrth roi'r modur neu'r sgwter neu'r peiriant pren wrth ei gilydd yn llofft yr ystabl. Petai Meri gyda hwynt, adwaenai hithau hefyd y doliau heirdd a wisgwyd mor ofalus yng Nghlwb y Merched.

Mwynhaodd y teulu ginio Nadolig heb ei ail. Yr oedd y cigydd y gweithiai Wili John iddo yn ŵr caredig iawn, a rhoesai i Feri goes o borc yn anrheg y diwrnod cynt; cawsai hefyd, rai dyddiau cyn hynny, ddarn o siwed ganddo ar gyfer y pwdin. O ardd Shinc ar ochr y mynydd y daethai'r bresych, a gwnaeth y ffrwythau a'r cnau ddiweddglo anrhydeddus i'r pryd. Uchel oedd y siarad a'r chwerthin a'r tynnu-coes, ac yna canodd Arfon a'i ewythr ddeuawd neu ddwy i gyfeiliant uchel yr organ-geg.

* * * *

Yn yr hwyr, cafodd William Jones ddigon o gymorth parod i wisgo ar gyfer y cyngerdd. Yr oedd aelodau'r côr, os oedd modd yn y byd, i wisgo'n unffurf—y merched mewn gwyn a'r dynion mewn dillad tywyll a choler big a bwa du. A phan ddaeth yr amser iddo gychwyn, rhuthrodd Meri i nôl y brwsh dillad, dug Wili John gadach i roi sglein ychwanegol ar ei esgidiau, a phenderfynodd Arfon nad oedd y bwa du yn hollol syth. ''Hen ffys gwirion'' y galwai'r cantor hyn, gan egluro nad oedd ef ond tenor bach ac na ddewiswyd ef i ganu unawd.

---

ei lunio: ei wneud
hwn-a-hwn: *so and so (male)*
wrth ei gilydd: *together*
adwaenai: byddai'n adnabod
heirdd: hardd
heb ei ail: di-guro, *second to none*
rhoesai: roedd wedi rhoi
cawsai: roedd wedi cael
y daethai'r bresych: yr oedd y bresych wedi dod
diweddglo: *conclusion*
anrhydeddus: *honourable* h.y. ardderchog
cyfeiliant: *accompaniment*
cymorth: *help*
modd: ffordd
dug W.J.: daeth W.J. â, (dwyn—*to bring*)
cadach: *a rag*
egluro: *to explain*
unawd: *solo* cf. unawdwr/unawdydd

Er hynny, nid oedd neb balchach na'r tenor bach yng ngaleri Calfaria'r noson honno. Diar, beth pe gwelai Bob Gruffydd ef yn awr! Teimlai braidd yn nerfus wrth wylio'r gynulleidfa oddi tano; ni wynebasai dyrfa fawr fel hon erioed o'r blaen. Edrychodd o'i amgylch ar y côr â balchder yn ei galon—y merched i gyd mewn gwyn a'r dynion oll yn gwisgo coler galed a bwa du.

Idris Morgan, mab yr arweinydd, a eisteddai wrth ei ochr, a phan ddechreuodd yr organydd, Richard Emlyn (mab Shinc), ganu'r darn arweiniol mawreddog, teimlai William Jones gorff ei gymydog yn ymsythu drwyddo, fel petai pob nerf yn tynhau wrth iddo ddilyn hynt y nodau. Yna cododd y tenor yn y pulpud, a llithrodd ei lais yn esmwyth a swynol trwy "Comfort ye, comfort ye my people" a chryfhau wedyn yn yr unawd "Every valley shall be exalted". Ni chlywsai'r chwarelwr lais mor beraidd erioed. Teimlai yr hoffai gyffwrdd y llais hwnnw, dal rhai o'r nodau yn ei ddwylo i syllu arnynt, teimlo â'i fysedd sidan a melfed eu rhyfeddod hwy. Yn lle hynny, gafaelodd yn dynnach yn ei gopi, a phan safodd y côr i ganu "And the Glory of the Lord," llyncodd ei boer, gwthiodd ei frest allan yn wrol, a chododd ei ên fel petai yntau'n unawdwr. Pan eisteddodd i lawr eilwaith, pefriai ei lygaid a llanwyd ei galon â gorfoledd. Yr oedd ei ffiol yn llawn pan daflodd ei arwr, David Morgan, wên gyfeillgar tuag ato. Noson fawr ym mywyd William Jones oedd honno.

Cafodd groeso cynnes gan Feri ac Eleri a Mot: teimlai'r chwaer yn falch o'i brawd o denor.

"Sut aeth petha, William?"

"Yn *champion,* hogan. Canu bendigedig . . . Yntê Motyn? Esgid pwy 'di hon'na sy gin ti yn dy geg? O, ches di ddim dŵad

---

pe gwelai R.G.: petai R.G. yn ei weld
oddi tano: o dano fe
ni wynebasai: doedd e ddim wedi wynebu, (*to face*)
arweiniol: *introductory*
mawreddog: *majestic*
ymsythu: mynd yn syth/*stiff*
tynhau: *to tighten*
hynt: llwybr
cryfhau: mynd yn gryfach
ni chlywsai: doedd e ddim wedi clywed
peraidd: hyfryd, swynol
syllu: *to stare*
poer: *saliva*
gwrol: dewr
pefriai: disgleiriai, (pefrio)
gorfoledd: *ecstasy*
ffiol: cwpan

i'r consart, naddo, 'ngwas i? Hidia befo, mi gei di fynd am dro i'r mynydd yn y bora . . . Lle mae Crad?''

''Welist ti mono fo wrth y capal? Roedd o am fynd i wrando wrth y drws, medda fo. Mi addawodd yr âi o i mewn i'r lobi rhag ofn iddo gael annwyd . . . O, dyma fo.''

''Diawcs, roeddat ti'n edrych yn rêl bôi yn y galeri 'na, William! Oeddat, wir, was! Yn gymaint o ganwr ag un ohonyn nhw. A dyna ganu, fachgan! Mi welis i Dai Morgan gynna, ac roedd o fel hogyn bach. Wrth 'i fodd! *Champion,* William, *champion*!''

Dim ond un peth a gymylodd Nadolig llawen y chwarelwr bychan. Cododd fore trannoeth yn llawn asbri, gan edrych ymlaen at yr ail berfformiad o'r ''Messiah'' y noson honno. Yna, ar ôl brecwast, aeth ef ac Arfon a Mot am dro i'r mynydd.

''Be sy, Arfon?'' gofynnodd ymhen tipyn. ''Mi wn i dy fod ti'n ymddangos yn reit hapus, ond ymddangos yr wyt ti.''

''Slough, Wncwl. Ma' hirath ofnadw arna i am Fryn Glo.''

''Oes, yr ydw i'n siŵr, fachgan.''

''Dyw'r gaffar yn y gwaith ddim yn fy lico i o gwbwl, ac ma' fa'n gneud 'i ora i fi gal y sac. Ac am y lojin! . . .''

''Lle sâl i aros ydi o?''

''Ma' tri o' ni yno. Mae'r ddau arall mas bob nos, ond wy i'n lico bod miwn yn darllen ne' sgfennu. Dŷm ni ddim miwn nes ei bod hi wedi wech, ond rhyw dân sy i fod i bara am ddwyawr sy 'na. 'Sech chi'n gweld 'i wyneb hi pan wy i'n gofyn am ragor o lo! Tlawd yw'r bwyd hefyd—stwff tsiep a dim digon ohono fa. Wel, ych chi'n gwbod mor dda ma' Mam 'da bwyd.''

''Fedri di ddim cael lle gwell i aros?''

''Dyma'r trydydd lle i fi fod ynddo fa. Ma' Slough yn llawn

---

hidia befo (G.C.): paid â gofidio, *never mind*
am fynd: yn bwriadu mynd
yr âi o: y byddai e'n mynd
diawcs!: *goodness!*
gwas: h.y. bachgen
yn gymaint o ganwr: *such a (good) singer*
gynna: h.y. gynnau, ychydig bach o amser yn ôl
a gymylodd: *which clouded,* (cymylu)
trannoeth: y bore wedyn
asbri: bywyd, *vivacity*
ymddangos: *to appear*
gaffar: *gaffer*
o' ni: h.y. ohonon ni
sgfennu: h.y. ysgrifennu
wech (D.C.): h.y. chwech
'sech chi: h.y. 'tasech chi/petaech chi

iawn, a sdim llawer o amser 'da fi i drampo i wilo am lojin newydd. A ma' hwn yn siwto 'mhoced i.''

''Wel, wir, fachgan . . .'' Ond ni wyddai William Jones beth i'w ddweud. Yr oedd miloedd o fechgyn fel Arfon mewn lleoedd fel Slough, a pha eiriau o gysur a allai rhywun fel ef eu cynnig iddynt? Diar, yr oedd hi'n biti, onid oedd, mewn difri?

Ac wrth syllu drwy ffenestr y llofft fore'r Flwyddyn Newydd, brathodd y chwarelwr ei wefus wrth gofio iddo wario mwy na hanner yr arian a fu ganddo yn y Llythyrdy. Beth a ddygai hi, 1936, iddo, tybed? Gwaith? Neu droi'n ôl i Lan-y-graig—a Leusa? Ysgydwodd William Jones ei ben wrth gau botymau ei wasgod.

trampo: *to tramp*
wilo (D.C.): h.y. chwilio
ni wyddai W.J.: doedd W.J. ddim yn gwybod
cysur: *comfort*
mewn difri: *in all earnestness*
brathodd (G.C.): cnoiodd (D.C.), *he bit,* (brathu)
iddo: *that he*
beth a ddygai?: *what would it bring?* (dwyn)

Pennod X

O FRYN GLO—I FRYN GLO

Gorau Bryn Glo a welai William Jones—pobl y capel a'r côr a'r dyrnaid o wŷr difrif a ddeuai i festri Salem ambell gyda'r nos. Sylweddolodd hynny un bore Sadwrn wrth ddychwelyd adref ar ôl tro i Ynys-y-gog yng nghwmni Mot.

Yr oedd hi ymhell wedi un pan gyrhaeddodd William Jones waelod Bryn Glo ar ei ffordd yn ôl, a chofiodd iddo gael siars gan Feri i fod gartref i ginio erbyn hanner awr wedi deuddeg. Yn lle mynd ymlaen heibio i'r orsaf a thrwy'r brif heol, penderfynodd dorri drwy'r ystrydoedd ar ei chwith. Hwnnw oedd y tro cyntaf iddo weld yr heolydd hynny, a dychrynodd braidd. Gwir fod Nelson Street a'r ystrydoedd gerllaw iddi'n dlawd iawn, ond cerddai yn awr heibio i dai a phobl a phlant a ymddangosai'n aflan. Edrychodd yn ôl i chwilio am Fot, a gwelodd fachgen bychan yn cydio yng ngholer y ci ac yn ei lusgo i mewn i un o'r tai. Brysiodd i ddrws agored y tŷ hwnnw.

Wrth waelod y grisiau, a charpiau budr amdano, yr oedd plentyn bach yn cropian ar y llawr, a deuai o'r tŷ ysgrechian plentyn llai, llais cras y fam yn ei dafodi, a *"Shut that bloody baby's mouth"* o enau'r gŵr.

Rhuthrodd geneth fach garpiog heibio iddo ac i mewn i'r tŷ â phapur newydd yn ei llaw. Clywodd hi'n dweud, yn Saesneg, fod rhywun yn y drws, ond cydiodd ei thad yn awchus yn y papur ac yna rhegodd yn chwyrn. *"Another bloody sixpence gone west,"* meddai rhwng ei ddannedd. Curodd William Jones dra-

---

a welai W.J.: yr oedd W.J. yn ei weld
dyrnaid: *handful,* (dwrn—*fist*)
difrif: *serious*
a ddeuai: a fyddai'n dod
gwaelod: *bottom*
siars: *warning*
dychrynodd braidd: *he became rather frightened*
a ymddangosai: *who appeared*
aflan: brwnt iawn
carpiau: *rags*
budr (G.C.): brwnt
deuai: roedd . . . yn dod
cras: *rough*
tafodi: *to scold*
genau: ceg
carpiog: *ragged*
yn awchus: *eagerly*
yn chwyrn: yn gas

chefn, yn uchel y tro hwn, gan y clywai Mot yn cwynfan yn rhywle yng nghefn y tŷ.

"Wel?" Edrychai'r gŵr yn gas arno, ac yr oedd yn ddyn i'w ofni, cawr digoler, yn llewys ei grys. Yr oedd aroglau diod o amgylch y "Wel?" a sug baco ar wefusau'r gŵr.

"Esgusodwch fi, ond yr ydw i wedi colli ci. Newydd 'i golli o, a meddwl 'mod i wedi'i weld o yn dŵad i'r tŷ yma."

"Alf!" cyfarthodd y dyn i gyfeiriad y cefn. "Alf! Damo'r crwt 'na! Alf!"

"Yes, Dad?"

"Bring that dog by 'ere."

"O.K."

"O'n ni'n gwpod 'i fod a ar goll, ac am fynd ag a lawr i'r *Police Station.* Un bach pert yw a, 'ed. Lyfli dog, lyfli dog, gwbôi." A thynnodd ei law tros ben y ci.

"Wel, diolch yn fawr i chi . . . Tyd Mot, Mot, tyd, 'ngwas i."

"The gentleman is going to give you a sixpence, Alf," meddai'r cawr wrth ei fab. Ac wrth syllu ar ruddiau llwydion y bachgen, rhoes William Jones ei law yn ei boced i chwilio am ei bwrs. Ond sylweddolodd mai *"another sixpence gone west"* fyddai'r stori.

"I haven't got change, Alf," meddai, *"but if you will come with me up the road to the shop, I can get change there, yes?"*

Gwgodd y tad, ond neidiodd y bachgen at y cynnig. Piti, yntê! meddai William Jones wrtho'i hun, gan daflu golwg ar ddillad carpiog ac ar wyneb a dwylo a gliniau budr y bychan wrth ei ochr. Cyrhaeddodd y ddau siop fechan ar gongl yr ystryd.

"Sweets you like, isn't it?"

Nodiodd y plentyn, gan bwyntio at ryw erchyllterau lliwiog, pob un wrth goes bren, mewn blwch yn y ffenestr. Prynodd y chwarelwr ddau o'r rhai hynny iddo a dau orens a chwarter

---

drachefn: unwaith eto
cwynfan: *to groan*
sug: *sap*
cyfarthodd y dyn: *the man barked* (cyfarth)
ac am fynd: ac yn bwriadu mynd
'i fod a: ei fod e
tyd (G.C.): tyrd, dere
cawr: dyn mawr iawn
gruddiau: bochau
gwgodd y tad: *the father frowned,* (gwgu)
cynnig: *offer*
gliniau: *knees*
budr (G.C.): brwnt
y bychan: h.y. y plentyn bach
erchyllterau: *horrible things*
lliwiog: *coloured*

pwys o fisgedi. Yr oedd yn amlwg na wyddai'r bachgen fod y fath haelioni i'w gael ond mewn breuddwydion.

"Stub Street," meddai Meri pan gyrhaeddodd ei brawd y tŷ ac adrodd yr hanes. "Fel 'na yr ydw i'n cofio'r lle, hyd yn oed pan oedd pethau'n mynd yn iawn yma. Mae hi'n biti."

* * * *

Llusgai'r dyddiau heibio. Rhoesai William Jones y gorau i chwilio am waith ers rhai misoedd, ac nid âi ef a Chrad am dro fel y gwnaethent yn yr haf. Crwydrent i lawr i Neuadd y Gweithwyr ac i Glwb y Di-waith yn bur selog, ond lladd amser yr oeddynt gan amlaf—"mynd o'r ffordd". Ni chyfarfyddai'r côr mwyach, ac araf y treiglai ambell gyda'r nos heibio. Yna, un noson yn niwedd Chwefror, galwodd Twm Edwards.

"Ma' nhw 'di gofyn i fi stejo dwy ddrama fach yn y capal," meddai, wedi iddynt gytuno bod y tywydd yn dal yn oer iawn. "A wy'n moyn eich help chi, bois."

Eglurodd ei fod yn methu â chael digon o actorion ar gyfer un o'r dramâu, ond y gwelai William Jones fel siopwr gwych a Chrad fel plisman bendigedig ynddi.

"Fi!" gwaeddodd Crad. "Y nefoedd fawr! Fûm i 'rioed yn actio dim. 'Rioed."

"Na finna," meddai William Jones mewn dychryn.

"Rwyt ti wedi dŵad i'r tŷ rong, Twm 'ngwas i," chwanegodd Crad. Yna cofiodd am y *Band of Hope* yn Llan-y-graig ers blynyddoedd. "Ond mi fu William 'ma yn dipyn o adroddwr unwaith."

"Y? Na fûm i, 'neno'r Tad."

---

yn amlwg: *obvious*
na wyddai'r bachgen: nad oedd y bachgen yn gwybod
haelioni: *generosity*
rhoesai W.J. y gorau i: roedd W.J. wedi gorffen, (rhoi'r gorau i—*to give up*)
nid âi ef: doedd e ddim yn mynd
fel y gwnaethent: fel roedden nhw'n arfer gwneud
yn bur selog: *quite zealously*
gan amlaf: y rhan fwyaf o'r amser
ni chyfarfyddai'r côr: doedd y côr ddim yn cwrdd/cyfarfod
mwyach: erbyn hyn
araf y treiglai . . . .: h.y. *slowly an occasional night would pass*
stejo: h.y. *to stage*
wy'n moyn(D.C.): rydw i eisiau
eglurodd:*he explained,* (egluro)
dychryn: ofn mawr
adroddwr: *reciter*
'neno'r Tad: yn enw'r Tad

"Yn y *Band of Hope,* William."

"O. Ond doeddwn i ond hogyn bach."

"Sdim raid i chi wylltu, bois. Partia bach ŷn nhw, yn niwadd y ddrama."

"Bach ne' beidio, dydw i ddim yn mynd yn blisman ar unrhyw lwyfan iti, Twm."

Ond ni chymerodd Twm sylw o'r gwrthwynebiad. "'Ma'r plot," meddai. A chawsant amlinelliad cyffrous o gymeriadau a digwyddiadau'r ddrama.

"Ydi hi'n rhaid iti gael y plisman 'na ynddi hi, Twm?" oedd cwestiwn Crad.

"Wel, odi, bachan. 'Na'r cleimacs."

Daeth Meri i mewn i'r ystafell, ac eglurodd Twm ei neges iddi hi. Dim ond rhannau bychain yn niwedd y ddrama, William Jones i gael locsyn a Chrad ddillad Pierce y plisman. Dyna un rheswm y daethai Crad i'w feddwl—am ei fod tua'r un faint â Sam Pierce, heddgeidwad Bryn Glo.

"Fûm i 'rioed yn actio, Twm, a dydw i ddim yn meddwl dechra yn fy hen ddyddia, 'ngwas i." Yr oedd Crad yn gadarn ar y pwnc.

"Un, dwy, tair . . . Dim ond deg *speech* fach sy 'da ti i'w dysgu, bachan."

"Dydw i ddim yn mynd ar lwyfan i ddeud bw na ba. Ond os licia William 'ma . . ."

"Wel, na, wir, diolch i chi yr un fath."

Apeliodd Twm at Feri.

"Gadwch chi'r llyfra yma iddyn nhw," oedd ei hawgrym hi. "Maen nhw'n siŵr o ddysgu'r partia i chi."

"Y?" Edrychodd Crad ar ei wraig fel petai'n ei gweld am y tro cyntaf erioed.

"Mi fydd yn ddiddordab newydd i chi'ch dau, Crad. Ac mi wyddost faint o bleser gafodd William hefo'r oratorio."

---

gwylltu: gwylltio, *to get mad*
ŷn nhw: ydyn nhw
gwrthwynebiad: *opposition*
amlinelliad: *outline*
'na'r cleimacs: dyna'r cleimacs/*climax*
eglurodd Twm: *Twm explained,* (egluro)
locsyn: *whisker*
y daethai Crad: yr oedd Crad wedi dod
heddgeidwad: plismon
cadarn: pendant, *steadfast*
bw na ba: h.y. *not a single word*
awgrym: *suggestion*

"Roedd William yn medru canu. Ond am actio! . . ."

"Twt, mi fedar rhywun actio rhanna bychain fel'na."

"Rhywun ond fi a William."

"Gadwch chi'r llyfra' yma, Mr. Edwards. Mi ofala i 'u bod nhw'n dysgu'r ddrama."

Yn o araf y cerddai'r ddau actor i'r ymarfer yn y festri y nos Lun ganlynol, a chafodd William Jones gryn drafferth i gadw Crad rhag troi'n ei ôl. Erbyn hyn codwyd llwyfan fechan yn y festri, a cherddai Twm Edwards ymlaen ac yn ôl fel petai newydd benderfynu setlo holl broblemau'r gwledydd ar unwaith ac am byth. Ef ei hun a gymerai ran y tad yn y ddrama. Awdur, cyfarwyddwr, actor—yr oedd ef yn ŵr prysur a phwysig.

Eisteddodd y ddau actor i lawr i wylio rhan gyntaf y chwarae. Uchelgais y cyfarwyddwr oedd cael pawb i gerdded yn urddasol fel ieir, tynnu ystumiau â'u hwynebau, a gwneuthur defnydd helaeth o'u dwylo. Barn y cyfarwyddwr oedd bod yn rhaid anelu at rywbeth "dramatig". Treuliwyd llawer o amser yn trin ac ail-drin yr olygfa gyntaf, ac âi Mrs. Leyshon (a oedd yn actio hen wraig) druan yn fwy nerfus—ac annaturiol—bob tro.

Gan na chyrhaeddwyd canol y ddrama'r noson honno, ni bu galw am y siopwr na'r plisman, a throes y ddau tuag adref yn llawen ond yn pryderu tipyn am y dyfodol.

"Gad imi dy weld di'n actio'r plisman, Crad," meddai William Jones wrtho ar ôl swper.

"Yn fy ffordd i ne' yn null Twm?" gofynnodd yntau.

"Yn null y cyfarwyddwr, wrth gwrs."

"Reit. Tyd allan hefo mi, Wili John."

Camodd Crad yn awdurdodol i mewn drwy ddrws y gegin, gan gydio'n ffyrnig yn ysgwydd Wili John ac edrych arno fel

---

canlynol: *following*
cryn: tipyn o
cyfarwyddwr: *director*
uchelgais: *ambition*
urddasol: *dignified*
tynnu ystumiau: *to grimace*
gwneuthur: gwneud
defnydd helaeth: *extensive use*
barn: *opinion*
anelu: *to aim at*
trin: *to discuss*
âi Mrs. L.: roedd Mrs. L. yn mynd
pryderu: gofidio
yn null: yn ffordd
cyfarwyddwr: *director*
tyd (G.C.): tyrd, dere
awdurdodol: *authoritative*
yn ffyrnig: yn gas

petai am ei lyncu'n fyw. Yna gwthiodd y bachgen o'i flaen, a safodd yn y drws â'i draed ar led a'i freichiau ymhleth. Yr oedd Wili John ac Eleri yn eu dyblau.

"Yr ydw i am dynnu coes yr hen Dwm nos 'fory, William," meddai ar ddiwedd y perfformiad.

"Sut, Crad?"

"Mi actia i'r plisman fel'na o ran hwyl."

"Na, gwell iti beidio, ne' mi fydd yn meddwl dy fod ti'n chwerthin am ben y ddrama, wel'di."

"Gora'n byd. Mae arna i isio cael fy nhroi allan o'r Seiat."

"O'r Seiat?"

"O'r ddrama, wsti. Mi fydd yr hen Dwm yn gaclwm pan wêl o fi'n gwneud hwyl am ben 'i blisman o, ac er mwyn talu'n ôl imi, mi chwilia am ryw reswm dros roi'r cic-owt imi, gei di weld."

Cafodd y siopwr a'r plisman gyfle i wthio Dic y troseddwr, i mewn i'r llwyfan y noson drannoeth. Ceisiodd William Jones edrych mor ddifrifol â sant, ond pan sylweddolodd fod Crad yn goractio fel y gwnaethai yn y tŷ, ciliodd y tu ôl i'r ddau arall i guddio'i chwerthin.

"Grêt, w!" Yr oedd y cyfarwyddwr wrth ei fodd.

"Y?" Rhythodd Crad arno.

"*Born actor,* Crad, *born actor,* bachan."

"Ond . . ."

"*First-rate,* w. Dramatic entrans cystal ag unrhyw broffesional. *Born actor,* bachan."

"Ond hannar munud . . ."

"Reit. Yr entrans 'na eto."

Eglurodd fod dau wendid mawr—y wên ar wyneb Dic, a'r

---

fel petai am: fel petai e'n bwriadu
ymhleth: *folded*
yn eu dyblau: *(they were) doubled up (with laughter)*
yr ydw i am: rydw i eisiau
o ran hwyl: *for fun*
wel'di: *you see*
gora'n y byd: h.y. *better still*
Seiat: cyfarfod anffurfiol yn y capel
wsti (G.C.): h.y. wyddost ti, rwyt ti'n gwybod
yn gaclwm: h.y. yn grac (D.C.)/yn flin iawn (G.C.)
pan wêl o: pan weliff e
mi chwilia: *he'll search,* (chwilio)
troseddwr: *offender*
goractio: actio gormod
fel y gwnaethai: fel roedd wedi gwneud
rhythodd Crad: *Crad stared,* (rhythu)
eglurodd: *he explained,* (egluro)

ffaith fod y siopwr o'r golwg tu ôl i'r plisman. Yr oedd yn rhaid i'r gynulleidfa gael gweld y siopwr, er nad oedd ef yn bwysig iawn yn y ddrama. Y plisman yn berffaith. *"Perfect"* oedd gair y cyfarwyddwr.

"Be goblyn wna i rŵan?" sibrydodd Crad. "Ydi o'n meddwl 'mod i'n mynd o flaen cynulleidfa i dynnu'r fath 'stumia?"

"Ydi, mae arna'i ofn, Crad."

Yr oedd Crad yn huawdl ar y ffordd adref. Os peth fel'na oedd drama . . .! Nid âi ef ar gyfyl y lle eto.

"Pryd y deudodd o yr oedd y practis nesaf, William?"

"Nos Wenar. Chwech o'r gloch."

"Fydd y bôi yma ddim yno."

"Ond beth am Meri?"

"Hi fydd yn fy stopio i."

"Y?"

"Mi gei di weld."

Nos Wener a ddaeth. Cawsai Crad byliau go gas o golli anadl a phesychu ar ôl te.

"Fyddai ddim yn well imi aros adra hefo fo yn lle mynd i'r practis 'na, Meri?" oedd cwestiwn pryderus William Jones.

Clywodd Crad, a gwylltiodd.

"Dydi rhyw dipyn o beswch ddim yn mynd i 'nghadw i o'r practis," meddai. "Fi ydi'r actor gora yno, medda Twm."

"Ond fedri di ddim mynd heno, Crad," atebodd ei wraig.

"Medra i, medra!" A chododd. Ond gafaelodd yr aflwydd ynddo eto, a bu'n rhaid iddo suddo'n ôl i'w gadair wrth y tân. Teimlai William Jones yn drist o'i weld. Piti, yntê? Ond pan droes Meri ei chefn, gwthiodd Crad ei dafod allan arno a chrychu ei drwyn. Yna cofiodd.

"Rho'r llyfr drama 'na'n ôl i Twm, William," meddai'r claf

---

o'r golwg: *out of sight*
Be goblyn . . .?: h.y. *What on earth . . .?*
sibrydodd Crad: *Crad whispered,* (sibrwd)
tynnu . . . stumia : *to grimace*
huawdl: *eloquent*
nid âi ef: fyddai e ddim yn mynd
ar gyfyl: h.y. yn agos i

cawsai C.: roedd C. wedi cael
pyliau: *bouts*
anadl: *breath*
pryderus: *worried*
gwylltiodd: *he got mad,* (gwylltio)
tipyn o: *a bit of a*
aflwydd: salwch
crychu: *to wrinkle*
claf: person sy'n dost

yn wan. "'Tasai peth fel hyn yn digwydd yn ystod y perfformiad, wel'di, mi faswn yn sbwylio'r pwdin i gyd."

"Ia, dyna fyddai ora, 'falla'," oedd barn Meri.

"Piti hefyd," ochneidiodd yr actor siomedig. "Roedd Twm yn dweud . . . Ond dyna fo. Does dim help."

Yr oedd hi'n wir ddrwg gan y cyfarwyddwr golli ei "stâr tyrn," chwedl yntau, ond gwyddai fod Isaac Jones, un o'r blaenoriaid, yn dyheu am ran yn y ddrama, a chan ei fod ef, fel Crad, yr un faint â'r plisman lleol, yr oedd popeth yn iawn.

Ni chafodd William Jones gystal blas ar "Gyflog Pechod" ag a gawsai ar y Messiah. Âi i bob ymarfer yn selog a phrydlon, dysgodd ei ychydig linellau'n gydwybodol, a gwnaeth ymdrech deg ond teimlai'n eiddigus o Grad, gartref wrth y tân. Digon yw dywedyd iddo, ar noson y perfformiad, gofio'i linellau bob un, rhoi cam ymlaen a dau gam i'r dde yn y lle priodol, a gwneud i'w wyneb caredig a diniwed ymddangos mor chwyrn a dideimlad ag yr oedd modd.

* * * *

Cawsant lythyr llon oddi wrth Arfon yn niwedd Mawrth. Gadawsai Slough, meddai, i weithio yn Llundain, mewn cronfa recordiau'n perthyn i'r un cwmni. Go anniddorol oedd y gwaith—pacio recordiau a chyfeirio'r parseli i bob rhan o'r byd—ond daethai o hyd i lety heb ei ail, a châi gyfle yn awr i fynd i gapel Cymraeg yn rheolaidd. Yr oedd wrth ei fodd; ond caent yr hanes i gyd pan ddeuai adref dros y Pasg.

---

ochneidiodd yr actor: *the actor sighed,* (ochneidio)
chwedl yntau: *as HE said*
dyheu: *to yearn*
cystal blas: h.y. gymaint o fwynhad, (blas—*taste*)
"Cyflog Pechod": enw'r ddrama, sef *"The Wages of Sin"*
ag a gawsai: *as he had,* (cael)
âi: byddai'n mynd
yn selog: *zealously*
prydlon: mewn pryd
yn gydwybodol: *conscientiously*
eiddigeddus: *jealous*
iddo: *that he*
priodol: h.y. cywir, iawn
diniwed: *innocent*
chwyrn: *fierce*
ag yr oedd modd: *as possible*
gadawsai: roedd wedi gadael
daethai o hyd i: roedd e wedi ffeindio, (dod o hyd i—*to find*)
heb ei ail: h.y. ardderchog
caent: bydden nhw'n cael
pan ddeuai: pan fyddai'n dod

Aeth Crad a William Jones i gyfarfod y trên nos Wener y Groglith, a gwyddent ar unwaith fod y llanc yn llawer hapusach.

Gloywai llygaid Arfon wrth iddo adrodd ei hanes uwchben ei swper. Gallai yn awr gerdded mewn ugain munud i gapel Cymraeg, ac yno y treuliai nos Sadwrn a dydd Sul. Caent ryw fath o Noson Lawen bob Sadwrn, a chyfle i gyfarfod pobl ifainc o Gymry. Yr oedd y capel yn orlawn bob nos Sul, ac uchel oedd y clebran ar y stryd ar ôl y gwasanaeth ac wedyn mewn un neu ddau o'r tai-bwyta gerllaw. Cyfarfuasai ddau a fuasai'n gyd-ddisgyblion ag ef yn yr Ysgol Ganolraddol, ac un ferch . . . o Dre Glo . . . A gwridodd Arfon.

Aeth William Jones ac Arfon a Mot am dro i'r mynydd y bore wedyn.

"Yr hogan 'na, Arfon," meddai'r dyn bach ymhen tipyn.

"Pwy, Wncwl?"

"Yr hogan 'na o Dre Glo sy'n dŵad i'r capal yn Llundain."

"Shwd ôch chi'n gwbod, Wncwl?"

"Gwbod be? . . ."

"Am Enid."

"O? Rhyw dderyn bach, wsti . . ."

"Odi Mam yn gwbod?"

"Nac ydi. Ddaru hi ddim sôn gair, beth bynnag. Hogan fach ddel, ydw i'n siŵr?"

"Odi." Yr oedd y gwrid ar wyneb Arfon yn huotlach na geiriau.

"Fedar hi siarad Cymraeg?"

"Diar gall! Mae'i thad hi'n flaenor yn Nhre Glo."

"Be mae hi'n wneud yn Llundain, Arfon?"

"Mynd yn nyrs. Mae hi'n dod sha thre heno, ac 'ŷn ni'n tra-

Gwener y Groglith: *Good Friday*
gwyddent: roedden nhw'n gwybod
gloywai llygaid A.: roedd llygaid A. yn disgleirio, (gloywi)
caent: bydden nhw'n cael
cyfarfuasai: roedd wedi cyfarfod/cwrdd
gwridodd Arfon: *Arfon blushed,* (gwrido)
ymhen tipyn: ar ôl peth amser
deryn: aderyn
wsti (G.C.): h.y. wyddost ti, rwyt ti'n gwybod
ddaru hi ddim sôn (G.C.): soniodd hi ddim
gwrid: *blush*
yn huotlach na: *more eloquent than*
fedar hi . . .?: ydy hi'n medru/gallu?
blaenor: *deacon*
sha thre (D.C.): h.y. tuag adref
'ŷn ni: h.y. rydyn ni
trafaelu: teithio, *(to travel)*

faelu'n ôl 'da'n gilydd nos Lun. Ond pidiwch â gweud dim wrth Mam, Wncwl."

Hwyr y Llun a ddaeth. Daliai William Jones nad oedd gan Grad hawl i fentro allan i'r glaw: fe âi ef i hebrwng Arfon at y trên. Pan gyrhaeddodd y ddau borth yr orsaf, estynnodd y llanc ei law.

"Wel, *so long* nawr, Wncwl."

"Yr ydw i'n dŵad ar y platfform, 'ngwas i."

"Ond . . ."

"Tyd, ne' mi golli di'r trên."

Daeth y trên yn swnllyd i'r golwg yn fuan, a gwelodd y ddau yr het werdd yn ymwthio allan o ffenestr un o'r cerbydau. Yna diflannodd pan sylweddolodd ei pherchen fod cwmni gan Arfon. Safodd y cerbyd hwnnw gyferbyn â hwy, a William Jones a agorodd ei ddrws.

"Dyma ti, Arfon. Digon o le, fachgan."

"Hylô, Enid! 'Ma . . . 'ma f'wncwl William."

"Sut ydach chi, 'nginath i?"

Hoffodd y ferch ar unwaith. Wyneb crwn, iach; llygaid onest, siriol; gwefusau llon, caredig; gwallt tywyll, gloyw. Ac yr oedd ganddi lais swynol â'i lond o chwerthin. Merch naturiol, ddi-lol.

"Hwdiwch, rhannwch hwn rhyngoch ar y daith." A thynnodd o'i boced dabled mawr o siocled.

"Pryd buoch chi'n prynu hwn, Wncwl?"

"Mendia di dy fusnas . . . Wel, da boch chi."

"*So long,* Wncwl."

"*So long.*" Hogan fach glên, meddai wrtho'i hun, gan deimlo'n falch iddo brynu'r siocled iddi.

* * * *

Bore trannoeth, galwodd William Jones yn y Llythyrdy i godi arian, ac araf oedd ei gam tuag adref.

---

gweud (D.C.): h.y. dweud
daliai W.J.: *W.J. maintained,* (dal)
mentro: *to venture*
fe âi ef i hebrwng: *he would (go to) accompany*
porth: *entrance*
perchen: *owner*
siriol: *cheerful*
llond: llawn
di-lol: heb ffws
hwdiwch (G.C.): hwrwch (D.C.), cymerwch
rhyngoch: *between you*
mendia: *mind*

"Be sy, William?" gofynnodd Crad wrth weled y golwg pell a dwys yn ei lygaid.

"Mae'n rhaid imi droi adra ddiwadd yr wsnos 'ma, fachgan."

"Y?"

"Rhaid. Mi wnes i lw i mi fy hun yr awn i'n ôl pan âi f'arian i i lawr i ugain punt."

"Ond 'falla' . . ." A thawodd Crad. "'Falla' y daw gwaith yn reit fuan," a oedd ar flaen ei dafod, ond gwyddai mai geiriau gwag oeddynt.

"'Tasat ti'n talu chweugain yn lle punt i ni, William . . ."

"Punt ne' ddim, Crad."

Ysgydwodd Crad ei ben. Yr *oedd* hi'n biti hefyd, a byddai Eleri a Wili John bron â thorri'u calonnau. A theimlai ef a Meri hi'n o chwithig ar ôl yr hen William. Daria, petai o ddim ond yn cael job fach fel . . . Fel beth?

"Be wnei di yn Llan-y-graig, William?"

"Mynd yn ôl i'r chwaral, debyg iawn."

"Ia, ond . . . hefo Leusa."

"O, derbyn cynnig Rob, fy mhartnar, a mynd i fyw ato fo. Rydw i'n reit ffond o Jane Gruffydd, ac mae Alun yr hogyn, a Dafydd, y bachgan arall, yn hogia iawn, wsti. Ac i ddeud y gwir, mae arna i dipyn o hiraeth am y chwaral a'r hen hogia a'r Llan. Oes, wir, hiraeth go arw weithia. Mi a i ddydd Sadwrn."

Daeth y fasged wellt eto i'r golwg tua diwedd yr wythnos, a rhoes ei pherchennog ei feddiannau oll yn daclus ynddi. Ond ni chwarddai neb am ei ben y tro hwn.

Yr oedd yn well gan William Jones fynd tua'r orsaf wrtho'i hunan bach, meddai ef, pan ddaeth amser cychwyn am y trên. Ymddangosai'n daer iawn ar y pwnc, a bu raid i Grad ac Eleri

---

dwys: *tense*
llw: *oath*
awn i: byddwn i'n mynd
âi: byddai . . . yn mynd
gwyddai: roedd e'n gwybod
chweugain: h.y. deg swllt, 50c.
go chwithig: *rather strange*
daria!: *drat it!*
debyg iawn: mwy na thebyg, *more than likely*
go arw: h.y. eithaf mawr
i'r golwg: *into view*
rhoes: rhoiodd, (rhoi)
perchennog: *owner*
meddiannau: *possessions*
oll: i gyd
ni chwarddai neb: doedd neb yn chwerthin
taer: *persistent*

a'r lleill ildio. Y lleill? Twm Edwards, Shinc, David ac Idris Morgan, Simon Jenkins y saer, Ned Andrews tros y ffordd, a Mrs. Leyshon, y fam yn y ddrama.

Wedi ysgwyd llaw â phawb yn o frysiog, rhoi cusan a swlltyn i Eleri, ac anwylo Mot am y tro olaf, i ffwrdd â'i goesau yn fân ac yn fuan wrth ochr y fasged wellt. Ond araf deg fu ei hynt drwy'r pentref. Gwelai rywun o'r côr neu o'r capel neu o Glwb y Di-waith, a rhaid oedd ymdroi ennyd i ganu'n iach. Erbyn iddo gyrraedd gwaelod Bryn Glo, deuai'r frawddeg, "Wedi cael fy ngwaith yn ôl yn y chwaral, wchi," yn beiriannol o'i enau.

Cyrhaeddodd yr orsaf o'r diwedd, a safodd yno am funud i syllu ar y pentref ac i fyny'r cwm. Gwenodd wrth gofio'r golwg cyntaf a gawsai ar y lle, ryw naw mis cyn hynny, a'r dychryn a ddaethai i'w feddwl. Wrth gwrs, twll o le oedd Bryn Glo, "pen draw'r byd," chwedl Bob Gruffydd, ac fe fyddai hi'n braf cael dychwelyd i awyr iach a thawelwch Llan-y-graig. A rhyw greaduriaid powld a swnllyd a oedd i lawr yn y Sowth 'ma, pobl fel . . . fel . . . Gwelai rywun yn gwthio beic i fyny'r heol a ddringai tua Nelson Street. Wili John, efallai? Hen fôi bach iawn oedd Wili John . . . Dacw ddau ddyn yn sgwrsio ar gongl Nelson Street . . . Crad a Shinc? Un da oedd yr hen Grad! Chwarddodd William Jones yn dawel wrth gofio Crad fel plisman yn nrama Twm. Hen fôi iawn oedd Shinc hefyd, o ran hynny, ond ei fod e'n yfed tipyn ac wedi berwi'i ben hefo daliadau'r Comiwnyddion . . . Hylô, dacw rywun yn ymuno â'r ddau . . . David Morgan, efallai? Neu Mr. Rogers? Gwelsai'r gweinidog y noson gynt, ond go drwsgl oedd ei ymgais i ddiolch iddo am ei bregethau a'i gyfeillgarwch. Daria, fe gollai'r trên oni frysiai i godi tocyn.

---

ildio: *to give in, to yield*
swlltyn: darn un swllt, 5c.
anwylo: *to fondle*
araf deg: eithaf araf
hynt: llwybr, taith
ymdroi: aros yn yr un lle
ennyd: ychydig o amser
canu'n iach: ffarwelio
deuai: roedd . . . yn dod
wchi (G.C.): h.y. wyddoch chi, rydych chi'n gwybod
genau: ceg

a gawsai: roedd wedi'i gael
dychryn: ofn mawr
a ddaethai: a oedd wedi dod
chwedl: fel mae . . . yn dweud
powld: *bold*
o ran hynny: h.y. *if it comes to that*
daliadau: *beliefs*
gwelsai: roedd wedi gweld
trwsgl: lletchwith, *clumsy*
ymgais: *attempt*
cyfeillgarwch: *friendship*
oni: *unless*

Eisteddai dau ŵr dadleugar yng nghongl y swyddfa-dicedi. "*A rat leavin' a sinkin' ship, mun!*" meddai un ohonynt rhwng ei ddannedd.

"*Ay, but . . .*" Tawsant i syllu ar y gŵr â'r fasged, a chredodd William Jones am funud mai amdano ef y siaradent. Rhoes ei fasged i lawr a thynnodd ei bwrs allan o boced-gefn ei drowsus. "*Ay, but 'e's a good player, mind,*" oedd dadl yr ail ddyn.

"*Wasn't Bryn Glo good enough for 'im when things were goin' well 'ere? Uh?*"

"*Ay, but . . .*"

"*And didn't we teach 'im all 'e knows 'bout Rugby? Uh?*"

"*Ay, but . . .*"

"*And so now we 'aven't got no money for tidy away fixtures, whass 'e do?*"

"*Ay, I know, but . . .*"

"*Scoots off to play for that team down Cardiff.*"

"*Ay, but . . .*"

"*A rat leavin' a sinkin' ship, Dai!*"

Ymbalfalai bysedd William Jones yn ansicr yn ei bwrs.

"*Yes?*" meddai llais y clerc o'r twll ysgwâr yn y mur.

"*Well, I . . . I . . . It's all right, thank you.*"

A chyda'i bwrs yn un llaw a'i fasged wellt yn y llall, brysiodd ymaith drwy'r drws ac yn ôl i'r heol.

---

dadleugar: *argumentative*
tawsant: aethant yn dawel, (tewi)
dadl: *argument*
ymbalfalai bysedd W.J.: *W.J.'s fingers groped,* (ymbalfalu)

Pennod XI

DAU ACTOR

''Llythyr imi? O ble, tybed?'' gofynnodd William Jones pan ddaeth i'r tŷ un canol dydd rai wythnosau wedyn.

''Agor o iti gael gweld, 'ngwas dewr i,'' meddai Crad. ''Yr ydw inna wedi cael un.''

Diolchai'r *British Broadcasting Corporation* i Mr. William Jones am ei lythyr, a byddent yn falch o roi gwrandawiad iddo yn y stiwdio yng Nghaerdydd am chwarter wedi chwech y nos Lun ganlynol. Rhyw ddyn o'r enw Emrys Lloyd a arwyddasai'r llythyr.

''Yrris i ddim llythyr atyn nhw,'' oedd sylw'r chwarelwr dychrynedig.

''Na finna, ac os ydi Meri'n meddwl fy mod i . . .''

''Meri?''

''Ia. Wyt ti'n cofio'r giamocs wnes i wrth actio'r plisman hwnnw i Dwm Edwards? Wel, mi gafodd Twm y syniad i'w ben fy mod i'n *born actor,* wel'di, a dydi o byth yn blino ar ddeud hynny wrth Meri.''

''Wel?''

''Mae o'n 'nabod rhai o'r bechgyn sy'n actio i'r B.B.C. tua Chaerdydd 'na, medda fo, ac mae o wedi perswadio Meri y medrwn i roi'r lot i gyd ym mhocad fy ngwasgod. Fi!''

''Ond y llythyra 'ma?''

''Meri wedi sgwennu drostan ni'n dau i Gaerdydd. Yr ydw i i gael *audition* am chwech nos Lun, William, a thitha am chwarter wedi. Ond fydd y bôi yma ddim yno.''

Daeth Meri i mewn â basged yn ei llaw.

''Dyma hi,'' meddai Crad. ''Mae William a finna,'' chwanegodd wrthi, ''wedi bod yn pwyllgora tipyn ynghylch y llythyra

---

tybed: *(I) wonder*
gwrandawiad: *audition*
a arwyddasai: a oedd wedi arwyddo *(to sign)*
sylw: *observation*
dychrynedig: wedi cael ofn
giamocs: *antics*
sgwennu: h.y. ysgrifennu
pwyllgora: h.y. *discussing in committee*

'ma, ac rydan ni wedi penderfynu sgwennu at y dyn 'ma i ddeud ein bod ni'n dau yn sâl."

"Wnewch chi ddim o'r fath beth," atebodd ei wraig. "Mae hwn yn siawns i chi drio ennill tipyn, ac roedd Twm Edwards yn deud . . ."

"Mi fydda i'n tagu dy Twm Edwards di y tro nesa y gwela i o. Os wyt ti'n meddwl fy mod i'n mynd i lawr i Gaerdydd i wneud coblyn o ffŵl ohona fy hun, rwyt ti'n gwneud coblyn o gamgymeriad."

"Ond Crad bach," meddai Meri, "Fyddi di ddim gwaeth o fynd yno."

"Ddim gwaeth! Faswn i a William ddim gwaeth 'taen ni'n cerddad ar ein dwylo, mewn het silc bob un, i mewn i'r capal ac i ganol y Sêt Fawr bora Sul, ond . . ."

"Twt, paid â lolian."

"Nid lolian ydw i. Be wna i yn 'i stiwdio fo?"

"Dim ond isio clywad dy lais di maen nhw. A 'falla' bydd gan un ohonoch chi lais i'r dim ar gyfar y weiarles. Lwc ydi o i gyd, medda' Twm Edwards, a . . ."

"Os clywa i enw'r cradur yna eto . . ."

Yr oedd Crad yn benderfynol. Helpodd i glirio'r llestri ar ôl cinio, a chludodd bapur-ysgrifennu a phin dur ac inc i'r bwrdd.

Ac wedi deng munud o lafur caled, yr oedd y llythyr yn barod.

7 Nelson Street.
Bryn Glo,
Mai 7, 1936

Annwyl Syr,

Hyn sydd i'ch hysbysu bod yr isod, Caradog Williams a William Jones yn wael iawn yn eu gwlâu a than law'r Meddyg yr hwn a'u gwaharddodd i deithio am rai misoedd.

Yr eiddoch yn ffyddlon,
Caradog Williams
William Jones

---

tagu: *to choke*
coblyn o ffŵl: h.y. ffŵl mawr
o fynd: *by going*
'taen ni: h.y. 'tasen ni, petaen ni
paid â lolian: paid â siarad dwli
i'r dim: perffaith
ar gyfar/gyfer: *for*
cradur: h.y. creadur
cludodd: *he brought,* (cludo—*to carry*)
llafur: gwaith
yr isod: h.y. (*the people named*) *below*
gwlâu: h.y. gwelyau
tan/dan law: dan ofal
yr hwn a'u gwaharddodd: *(who) prohibited them,* (gwahardd)

"Hylô, hylô! Beth sy'n mynd 'mlân yma?"

Mr. Rogers a alwai drwy'r ffenestr, a brysiodd William Jones i agor y drws iddo.

Dangosodd Crad y ddau lythyr o Gaerdydd i'r gweinidog.

"Da iawn!" meddai yntau. "Da iawn, wir! Wy'n falch iawn eich bod chi'n mentro, fechgyn. A chan fod acen y Gogledd 'da chi'ch dau, 'falla' bydd y bobl yng Nghaerdydd yn falch o'ch gwasanaeth chi. Fyddwch chi ddim gwaeth o fynd lawr yno, ta beth."

"Dydan ni ddim yn golygu mynd yno, Mr. Rogers." Ac estynnodd Crad ei lythyr ei hun.

Gwenodd y gweinidog wrth ei ddarllen.

"Crad, fachgen, ych chi'n rhoi syniad yn fy mhen i."

"O?"

"Odych. Mae'r B.B.C. yn moyn darlledu gwasanaeth o Salem y mis nesa 'ma. Ond fel ych chi'n gwbod, 'wy i 'di cael llwnc tost ers tro nawr, a . . ."

"Ond mae'n rhaid i chi ddarlledu, Mr. Rogers. Os oes 'na rywun yng Nghymru fedar roi pregath werth 'i chlywad iddyn nhw, chi ydi hwnnw."

"Ia, wir," ategodd William Jones.

"Mae hi'n ddyletswydd arnoch chi. On'd ydi, Meri?"

"Be?" gofynnodd ei wraig, a ddaethai i mewn i'r gegin atynt.

"Y B.B.C. yn gofyn i Mr. Rogers roi pregath ar y weiarles, a fynta'n mynd i wneud esgus 'i fod o'n sâl."

"Wrth gwrs, y mae siarad am ryw hanner awr ar y weiarles yn dipyn o straen," sylwodd Meri.

"Straen ne' beidio," chwyrnodd Crad, "dydi o ddim yn mynd i wrthod. Ydi o William?"

"Nac ydi." Edrychodd William Jones yn benderfynol, er na wyddai'n iawn sut y gallai ef a Chrad achub y gwasanaeth.

---

ddim gwaeth: *not any worse off*
o fynd: *by going*
golygu: meddwl, bwriadu
yn moyn (D.C.): eisiau
darlledu: *to broadcast*
fedar (G.C.): sy'n medru/gallu
ategodd W.J.: *W.J. supported,* (ategu)
. . . dyletswydd arnoch chi: *you are duty bound*
a ddaethai: a oedd wedi dod
a fynta: h.y. a FE
yn dipyn o: *quite a lot of*
chwyrnodd Crad: *Crad snarled,* (chwyrnu)
er na wyddai: er (*although*) doedd e ddim yn gwybod

"Os pregethwch chi fel yr ydach chi'n gwneud bob Sul, Mr. Rogers . . . Yntê, William?"

"Ia'n Tad."

"Ond 'wy'n teimlo'n nerfys iawn wrth feddwl am ddarlledu, fechgyn. Odw, wir."

"Twt, does 'na ddim byd yn y peth," oedd barn Crad.

"Gwneud hynny i'm cymell i yr ych chi fechgyn. Ma'n well 'da fi gredu'r llythyr 'ma."

"O, doeddan ni ddim yn meddwl postio'r llythyr 'na," meddai Crad.

"Nac oeddan," cytunodd ei frawd yng nghyfraith.

"Trio dychryn tipyn ar Feri yr oeddan ni am iddi hi sgwennu drostan ni i Gaerdydd."

"Ia'n Tad, trio dychryn Meri."

"Odych chi am fynd yno, 'ta?"

"Ydan, debyg iawn."

"Wel, 'rwy'n edmygu'ch gwroldeb chi, fechgyn. Odw, wir. A rhaid i finna gisho ymwroli."

Aeth Mr. Rogers ymaith heb iddynt weld y winc a daflodd ar Feri na'r wên slei a oedd yn ei llygaid hi.

Galwodd Twm Edwards drannoeth i gynnig eu "cyfarwyddo".

"Reit. Gad i fi dy glywad di, Crad."

Â winc ar ei frawd yng nghyfraith, taranodd Crad y llinellau. Rhuthrodd Meri i lawr o'r llofft.

"Grêt, w!" oedd barn Twm.

"Be sy'n mynd ymlaen yma?" gofynnodd Meri.

"Practis ar gyfar nos Lun," eglurodd ei gŵr.

"Nid fel'na yr wyt ti'n mynd i adrodd yno, gobeithio?"

"Ia. Pam?"

"Am fod gan y B.B.C. beiriant i yrru dy lais di o Gaerdydd i

---

barn: *opinion*
cymell: *to coax*
dychryn: *to frighten*
am iddi hi: achos ei bod hi wedi
am fynd: yn bwriadu mynd
debyg iawn: yn sicr/siŵr
edmygu: *to admire*
gwroldeb: dewrder, *bravery*
gisho (D.C.): h.y. ceisio, trio
ymwroli: h.y. bod yn ddewr
cyfarwyddo: *to direct*
taranodd Crad: h.y. *Crad stormed,* (taranu—*to thunder*)
llofft: upstairs
eglurodd: *explained,* (egluro)

Gaergybi, os mynnan nhw. Insyltio'r peiriant ydw i'n galw'r fath weiddi.''

''O? Sut hynny?''

''Fydd dim o'i angan o. Mi fydd pobol Llan-y-graig yn dy glywad di'n iawn hebddo fo os wyt ti'n mynd i sgrechian fel'na.''

''Ond mae o'n ddarn dramatig, on'd ydi, Twm?''

''Odi, odi. Ond 'falla' bod ti'n gorwneud dicyn bach.''

'''Falla', wir. Rydw i wedi straenio fy ngwddw, beth bynnag.'' Gafaelodd pwl o besychu cas yn yr adroddwr, a suddodd yn llipa i'r gadair freichiau. Aeth Meri yn ei hôl i'r llofft.

Bu'r pyliau o golli anadl a phesychu yn rhai aml a ffyrnig tros y Sul, a chydiodd William Jones yn ei het droeon, gan fwriadu rhedeg am y meddyg. Teimlai fod Meri yn galon-galed iawn, yn diflannu bob tro i'r llofft neu i'r drws nesaf a'i gŵr yn y fath wasgfeydd.

''Wnaiff y pesychu 'ma ddim lles i'th lais di, Crad,'' meddai hi fore Llun ar ôl brecwast, pan benderfynodd ei gŵr lithro i afael ffit arall. ''Mi laddodd blisman unwaith, cofia,'' chwanegodd ar ei ffordd i'r gegin fach.

Gwisgodd y ddau eu dillad Sul yn y prynhawn, a phenderfynodd Meri, wedi taflu golwg beirniadol trostynt, y gwnaent y tro. Cydiodd mewn brwsh i dynnu'r llwch oddi ar eu dillad.

''Daria, nid i briodas yr ydan ni'n mynd,'' chwyrnodd Crad.

Mynnodd Meri eu bod yn dal y trên dau er mwyn iddynt gael digon o hamdden uwch cwpanaid o de yng Nghaerdydd.

* * * *

---

os mynnan nhw: *if they wish/insist,* (mynnu)
gorwneud: *to overdo*
dicyn bach (D.C.): dipyn/ychydig bach
pwl o besychu: *a bout of coughing,* cf. pyliau—*bouts*
llipa: *limp*
ffyrnig: cas
droeon: nifer o weithiau
gwasgfeydd: *distress*
lles: daioni, *good*
beirniadol: *critical*
gwnaent y tro: *they would do,* (gwneud y tro)
daria!: *dash it!*
chwyrnodd Crad: *Crad snarled,* (chwyrnu)
mynnodd Meri: *Meri insisted,* (mynnu)
hamdden: amser sbâr

Rhyfeddai William Jones at brysurdeb a harddwch y brif stryd yng Nghaerdydd. Mor fawr a nobl oedd y siopau a'r sinemâu! Safodd wrth ymyl un sinema anferth i gael golwg ar yr hysbysiadau a'r darluniau yn y cyntedd a oedd fel plas gorwych ac ynddo golofnau tal. Diar, piti na châi Wili John ac yntau brynhawn yma hefo'i gilydd.

Aethant i mewn i siop Marks and Spencer. Prynodd William Jones declyn i blicio tatws, yn anrheg i Feri. Troesant wedyn i mewn i Woolworth's, a theimlai'r chwarelwr fel plentyn mewn siop deganau. Gwariodd chwe cheiniog ar gyllell i Wili John a chwe cheiniog arall ar bwrs bach glas i Eleri, ac yna cofiodd fod arno eisiau rhywbeth i ladd malwod yn yr ardd. Wedi iddo brynu blwch o dabledi anffaeledig ar gyfer y gwaith hwnnw, "Be arall sy arno ni isio, Crad?' gofynnodd.

"Dim byd."

"Oedd Meri ddim yn sôn bod arni isio sosban, dywad?"

"Gwranda, William. Os wyt ti'n meddwl fy mod i'n mynd i gario sosban i'r B.B.C. 'na . . ."

"Be am gael te yma, Crad?"

"Reit."

Ar ôl te crwydrasant heibio i'r castell ("Dim patch ar gastall Caernarfon" oedd barn William Jones amdano) ac yna drwy erddi tua'r Amgueddfa. Trawodd y cloc mawr uwch Neuadd y Ddinas hanner awr wei pedwar.

"Mi awn ni i mewn i'r Miwsiam am dipyn, Crad."

Daria, yr oedd yn rhaid iddo roi diwrnod i Wili John ac Eleri yng Nghaerdydd, meddai wrtho'i hun pan aeth i mewn i neuadd urddasol yr Amgueddfa. Gallai fforddio hynny, er bod ei arian yn o brin bellach. Syllodd y ddau yn hir ar "Hogyn y Tabwrdd", y cerflun pres o waith Syr Gascombe John, ac yna i ffwrdd â hwy i fyny'r grisiau ar y dde.

---

rhyfeddai W.J.: roedd W.J. yn synnu, (rhyfeddu—*to wonder*)
prysurdeb: *rush, hurry*
anferth: mawr iawn
hysbysiadau: *announcements*
gorwych: *splendid*
colofnau: *columns*
na châi W.J.: na fyddai W.J. yn cael
teclyn: *instrument*
plicio: *to peel*
anffaeledig: *infallible*
urddasol: *grand*
yn o brin: *rather scarce*
Hogyn y Tabwrdd: h.y. *The Drummer Boy*
cerflun: *statue*
pres: *brass*

I mewn â hwy i oriel hardd. Yr oedd yn yr oriel lawer piano hen o wahanol rannau o Gymru, gwisgoedd Cymreig o bob math, darluniau o hen dai a hen beiriannau, certi ac offer amaethyddol, ac amryfal bethau yn ddarluniau byw ynddynt eu hunain o fywyd cymdeithasol Cymru.

"Roedd fy nhad yn cofio gorfod gwisgo hwn, William," meddai Crad.

"Be?"

"*Welsh Not.* Am siarad Cymraeg yn yr ysgol."

Troesant i mewn i weld ystafelloedd y ffermdy Cymreig—cegin, llaethdy, parlwr, ac ystafell wely.

"Pwy fasa'n meddwl, yntê, Crad?"

"Meddwl be?"

"'I bod hi'n bosib creu llun fel hwn o gegin ffarm. Pwy ddaru osod y petha yma wrth 'i gilydd, tybad?"

"Wn i ddim, wir, fachgan. Ond mae o'n dipyn o fôi, pwy bynnag ydi o."

Bu'n rhaid iddynt droi ymaith ac i lawr y grisiau, gan fod yr Amgueddfa'n cau am bump.

"Rhaid inni ddŵad â Wili John ac Eleri i lawr yma ryw ddiwrnod, Crad. Mi fydd gweld yr ystafelloedd 'na yn addysg iddyn nhw."

"Bydd."

Crwydrodd y ddau yn araf gan droi i mewn i'r gerddi. Eisteddasant ar un o'r seddau yno, yn ddau ŵr mud a phell. Hanner awr wedi pump, meddai'r cloc uwch Neuadd y Ddinas cyn hir.

"Hanner awr eto, Crad."

"Ia."

"Diar, mae Caerdydd 'ma yn lle hardd, fachgan!"

"Ydi."

"Rhes dda o diwlips, yntê?"

"Ia, am wn i."

Pum munud o dawelwch, ac yna trawodd y cloc mawr chwarter i chwech.

amaethyddol: o fyd ffermio
amryfal: *various*
llaethdy: *dairy*
pwy ddaru ...? (G.C.): pwy wnaeth . . .?
mud: h.y. ddim yn siarad, *mute*
am wn i: as far as I know, (*gwybod*)

''Mi awn ni'n ara deg, Crad. Mae'n well inni fod yn rhy hwyr nag yn rhy fuan, ond ydi?''

''Y?'' Yr oedd Crad yn gas eto.

''Yn rhy fuan nag yn rhy hwyr oeddwn i'n feddwl.''

Tros y ffordd o'r Amgueddfa yr oedd y B.B.C., yn ôl Twm Edwards. Cerddodd y ddau yn araf heibio i'r lle, gan gymryd arnynt nad oedd ganddynt yr un diddordeb ynddo. Yn yr ystafell ar y dde eisteddai ychydig o bobl wrth fyrddau bychain yn ymgomio ac yn yfed te. Gwelent trwy'r ffenestr ar y chwith ddynion wrth beiriannau cywrain.

Troesant yn eu holau a cherdded yn dawel tua'r porth. Yn nrws yr adeilad safai gŵr mewn gwisg swyddogol â thair streip ar ei fraich. Sylweddolodd William Jones ymhen ennyd nad oedd Crad wrth ei ochr mwyach. Rhuthrodd ar ei ôl.

''Crad! Crad!''

''Mi fydda i yn y stesion, William.'' Ac i ffwrdd ag ef fel gafr ar daranau.

* * * *

Dangosodd y chwarelwr lythyr y gwahoddiad i ŵr y tair streip ac eglurodd fod Mr. Caradog Williams wedi ei daro'n wael gartref, yn wael iawn. Arweiniwyd ef i ystafell-aros, ac eisteddodd yn bryderus ar fin un o'r cadeiriau â'i het galed ar ei lin. Pum munud i chwech, meddai'r cloc. ''Ia, wir,'' oedd sylw William Jones wrtho'i hun, a'i fysedd yn ceisio chwarae alaw ar gantel ei het.

Daeth gŵr ifanc i'r drws cyn hir.

''Mr. Caradog Williams?'' meddai.

''No, he's . . . . . . can't come . . . very ill.''

''Mr. William Jones?''

''Yes, sir.''

''Sut ydach chi, Mr. Jones?'' Ac estynnodd ei law.

''Go lew, wir, thanciw. Mr. Lloyd?''

''Ia.''

---

gan gymryd arnynt: *pretending (that) they,* (cymryd ar—*to pretend*)
ymgomio: sgwrsio
cywrain: *intricate/refined*
ymhen ennyd: ar ôl ychydig o amser
mwyach: *anymore*
eglurodd: *he explained,* (egluro)
yn bryderus: yn ofidus
ar fin: ar ymyl
sylw: *observation*
alaw: *tune*
cantel: *rim*

Eisteddodd y gŵr ifanc wrth ei ymyl.

"Gogleddwr ydach chi, yntê, Mr. Jones?"

"Ia, o Lan-y-graig, Sir Gaernarfon."

"Tewch! Un o Lan Dŵr ydw inna. Ers faint ydach chi lawr yn y Sowth 'ma?"

"Ers yn agos i flwyddyn bellach."

"Rydach chi'n dipyn o actor, yr ydw i'n dallt."

"Wel, nac ydw, wir, ond fod Meri, fy chwaer, yn meddwl fy mod i ar ôl imi actio mewn rhyw ddrama ym Mryn Glo 'cw. Ond wn i ddim mwy am actio na thwrch daear. . . . Hynny ydi," chwanegodd yn frysiog heb wybod yn iawn sut i orffen y frawddeg.

"Wel, gan fod Mr. Caradog Williams yn methu â bod yma, mi wrandawn ni arnoch chi'n gynta. Y ffordd yma, Mr. Jones."

Aethant i mewn i stiwdio a rhoddwyd y chwarelwr i sefyll o flaen meicroffôn. Gostyngodd y gŵr ifanc fraich y peiriant, gan fod William Jones mor fyr.

"Dim ond i chi siarad i mewn i hwn," meddai. "Oes gynnoch chi ryw ddarna arbennig yr hoffech chi inni wrando arnyn nhw? Os nad oes, dyma i chi nifer o betha yn y sgript yma. Mi siarada i hefo chi drwy'r *loud-speaker* 'na mewn munud."

Aeth Mr. Lloyd ymaith ac edrychodd William Jones o'i gwmpas yn ofnus. Ni feiai Grad am ddianc am ei fywyd; yn wir, teimlai yntau yr hoffai gilio drwy'r drws yn slei bach. I be goblyn yr oedd Meri eisiau ysgrifennu i'r lle yma? Crynai ei ddwylo wrth iddo chwilio am "Ora Pro Nobis" yn "Nhelyn y Dydd". Bu bron iddo â neidio o'i groen pan dorrodd llais o'r blwch du mawr y tu ôl iddo.

"Reit, Mr. Jones. Gawn ni glywed eich darn cynta chi, os gwelwch chi'n dda?" Llais Mr. Lloyd ydoedd.

Undonog a chrynedig oedd y darlleniad, tebyg iawn i ymgais Wili Jôs yn y *Band of Hope* ers talwm.

---

tewch! (G.C.): *you don't say!* (tewi)
dallt (G.C.): h.y. deall
twrch daear (G.C.): gwahadden, *mole*
gostyngodd . . . . *lowered,* (gostwng)
cilio: *to retreat*
I be goblyn . . .?: *Why the heck . . .?*
"Ora Pro Nobis": darn o farddoniaeth yn **Telyn y Dydd** gan Eifion Wyn
undonog: *monotonous*
crynedig: *trembling, quivering*
ers talwm (G.C.): amser maith yn ôl

"Wel, ma' fa 'di dysgu darllen, ta beth, bois," oedd sylw un o'r tri gŵr a wrandawai yn y pen arall. "Ond ma' fa bron â llefan."

"Diolch, Mr. Jones," meddai'r llais o'r blwch pan gyrhaeddodd yr adroddwr ddiwedd y gân. Eich darn nesa rŵan, os gwelwch chi'n dda."

Daeth y bysedd crynedig o hyd i gynghorion Wil Bryan i'w gyfaill Rhys Lewis.

"'On i'n credu taw bachan doniol odd Wil Bryan," meddai'r gŵr digrif a eisteddai wrth ochr Mr. Lloyd yn yr ystafell-wrando.

Arhosodd William Jones ymhen tipyn, gan deimlo i Wil Bryan roi gormod o gynghorion i Rys.

"Ydach chi isio chwanag o hwn?" gofynnodd. "Go hir ydi o, yntê?"

"Ia, braidd, Mr. Jones," atebodd llais Mr. Lloyd. "Triwch rai o'r darna sy'n y sgript 'na. Trowch i'r drydedd dudalen. Hannar munud, mi ddaw rhywun i'r stiwdio atoch chi i ddarllen part y Stiward."

Ymgom rhwng chwarelwr a Stiward a oedd ar y ddalen, ac ymunodd gŵr ifanc â William Jones wrth y meicroffôn. Agorodd Emrys Lloyd ei lygaid wrth wrando arnynt.

"Gwranda, Ellis," meddai wrth y dyn a eisteddai gydag ef.

"Odi, ma' William Jones yn actor wrth bido ag acto," sylwodd Ellis Owen, un arall o swyddogion y B.B.C.

"Yr un darn drosodd eto, os gwelwch chi'n dda," meddai Emrys Lloyd wrth y stiwdio. "A'r tro yma, Mr. Jones, triwch swnio'n fwy ofnus ar y dechra ac wedyn, yn y diwedd, mi liciwn i'ch clywad chi'n colli'ch tempar dipyn."

"Y llais bach mwya diniwad glywes i 'riôd, Emrys," meddai Ellis Owen, gan godi a cherdded o gwmpas yr ystafell-wrando. "Y feri llais yr wy i'n whilo amdano fa."

"I be?"

"I'r *serial*."

---

ta beth: beth bynnag
llefan: h.y. llefain, crio
daeth y ... o hyd i: *the ... found,* (dod o hyd i—*to find*)
cynghorion: *advice*
chwanag: h.y. ychwaneg, rhagor
ymgom: sgwrs
y ddalen: y dudalen
wrth bido: h.y. wrth beidio
diniwad: h.y. diniwed, *naïve*
whilo (D.C.): h.y. chwilio

"'Y Pwll Du'?"

"Ia."

"Ond mewn pwll glo mae honno'n digwydd."

"Ia, ond ma 'da fi Ogleddwr bach ynddi hi—dyn bach ofnus a nerfys sy'n troi'n dicyn o arwr cyn y diwedd. A 'ma 'fe, Emrys, 'ma fe! William Jones!"

"Mae arna inna isio William Jones hefyd ar gyfer 'Y Chwarelwr'. Mi fydd yn fendigedig fel Huw Parri, dyn bach diniwad sy gin i yng nghanol y rhaglen."

"Ond 'on i'n meddwl taw am ricordio'r 'Chwarelwr' yn y Gogledd ôt ti?"

"Y rhan fwya ohoni hi. Rydw i'n mynd i fyny yno 'fory. Ond mae'n rhaid imi wneud dwy neu dair o'r golygfeydd yn y stiwdio. A mi fydd llais William Jones. . . . Tyd, mi awn ni â'r hen gyfaill i'r cantîn am 'baned."

Aethant â William Jones i'r ystafell lle gwelsai ef a Chrad y byrddau bychain, ac yno, uwch cwpanaid o de, teimlai'n fwy cartrefol. Piti i'r hen Grad redeg i ffwrdd, hefyd.

"Mae arna i isio i chi gymryd rhan mewn rhaglen am y chwaral ddiwadd yr wsnos nesa, Mr. Jones," meddai Lloyd, "ac mae gan Mr. Owen 'ma waith i chi mewn *serial* sy'n dechra yr wsnos wedyn."

"Wel, na, wir, mi fasa'n well gin i beidio, diolch i chi yr un fath."

"Ond . . ."

"Fy nghalon i, ydach chi'n dallt. A'r doctor wedi fy warnio i, wchi."

"Ond . . ."

"Diolch i chi yr un fath, yntê?"

Edrychodd y ddau ŵr ifanc ar ei gilydd yn syn.

"Teimlo'n nerfus yr ydach chi, Mr. Jones?" gofynnodd Lloyd.

"Dipyn bach, wchi."

"Wel, does dim rhaid i chi. Rhan fechan fydd gynnoch chi yn 'Y Chwarelwr' gan fy mod i'n bwriadu ricordio'r rhan fwyaf o'r rhaglen yn y Gogledd. Dyma'r sgript."

---

yn dicyn o (D.C.): yn dipyn o
golygfeydd: *scenes*
wsnos (G.C.): h.y. wythnos
dallt (G.C.): h.y. deall
wchi: wyddoch chi, *you know*, (gwybod)

Ymgom rhwng dau bartner o chwarelwyr yn y wal oedd cychwyn y rhaglen, a darllenodd William Jones hi â diddordeb mawr.

"Go dda, wir," meddai. "Ond fyddwn ni byth yn deud 'swp o lechi,' wchi."

"O?"

"Na, 'pentwr o lechi' ddeudwn ni yn y chwaral."

"Diolch, Mr. Jones. Mi newidia i hwn'na. Gwrandewch, y mae'n rhaid i chi gymryd rhan yn y rhaglen yma, doctor ne' beidio. Ŵyr neb yn y byd pa newid fydd yn rhaid imi'i wneud yma yn y stiwdio ar y munud ola. Felly, mae'n rhaid i chi fod yma."

"Wel, os medra i fod o help i chi, Mr. Lloyd . . ."

"Ac ma' rhaid i chi ddod miwn i'r *serial,*" meddai Ellis Owen. "I 'weud y gwir, 'wy ddim yn cretu'r stori 'na am y doctor. Odw i'n reit?"

"Wel . . ." A gorffennodd William Jones ei gwpanaid o de.

"Dowch i mewn i'r ystafell-wrando am eiliad, Mr. Jones," meddai Emrys Lloyd, "imi gael rhoi amsera'r rhaglen am y chwarel i chi."

* * * *

Brysiodd y chwarelwr tua'r orsaf. Yno, yng nghongl y sedd hir wrth fur y swyddfa-dicedi, eisteddai Crad. Neidiodd ar ei draed pan welodd ei frawd yng nghyfraith.

"Tyd, mi gei di ddeud y stori wrtha i yn y trên," meddai. "Mae 'na un ar gychwyn rŵan."

"Yr argian fawr! Mi fydd Meri wrth 'i bodd, fachgan," a sylwadau tebyg a saethai o'i enau yn y trên.

"Mi glywis i 'u bod nhw'n talu'n reit dda hefyd," sylwodd wedi cael holl fanylion yr hanes.

---

ymgom: sgwrs
cychwyn: dechrau
swp o lechi: pentwr o lechi
ddeudwn ni: ddywedwn ni, *we say,* (dweud)
ŵyr neb yn y byd: h.y. does neb yn gwybod
cretu: h.y. credu
congl: cornel
ar gychwyn: ar fin mynd
yr argian fawr!: *goodness gracious!*
sylwadau: *observations*
a saethai: a oedd yn saethu, (saethu—*to shoot*)
genau: ceg
manylion: *details*

Ni feddyliasai Wiliam Jones am hynny. Cofiodd nad oedd ganddo ond rhyw ddecpunt ar ôl yn y Llythyrdy, a rhoddai'r gwaith hwn fis neu ddau eto iddo ym Mryn Glo. Diawch, yr oedd hi'n werth iddo wneud ei orau er mwyn hynny.

"William i fod ar y weiarles, Meri!" gwaeddodd Crad cyn gynted ag yr agorodd ddrws y tŷ.

Ef a adroddodd yr hanes wrthi—yn ei ffordd ei hun. Swm a sylwedd y stori gyffrous oedd na fuasai erioed, ym marn swyddogion y B.B.C., actor tebyg i William ar gyfyl y lle.

"Sut y doist ti ymlaen, Crad?" gofynnodd hithau pan ddaeth taw ar yr huodledd.

"O, fy llais i braidd yn gryg, meddan nhw. Yr hen aflwydd 'ma sy ar fy mrest i, mae'n debyg."

"Fyddan nhw'n eich clywed chi yn Llan-y-graig, Wncwl?" oedd cwestiwn Wili John.

"Byddan, am wn i, wir, fachgan."

"Rhyfedd meddwl amdanat ti i lawr yng Nghaerdydd 'na," meddai Crad, "a'th lais di i fyny yn nhŷ Bob Gruffydd a Thwm Ifans. Diawch, mi rown i ffortiwn am weld wynab Ifan Siwrin, fachgan! Rhaid iti yrru gair at Bob. Mi fydd pob set yn Llan-y-graig yn mynd y noson honno."

---

ni feddyliasai W.J.: doedd W.J. ddim wedi meddwl
swm a sylwedd y stori: h.y. *the long and short of the story*
ar gyfyl y lle: yn agos i'r lle
doist ti: dest ti
taw: stop
huodledd: *eloquence*
braidd yn gryg: *rather hoarse*
aflwydd: salwch
am wn i: *as far as I know,* (gwybod)
mi rown i: fe fyddwn i'n rhoi
gyrru (G.C.): anfon, hala (D.C.)

Pennod XII

UN ACTOR

''Nid i briodas yr ydw i'n mynd, Crad,'' meddai William Jones, ar gychwyn i Gaerdydd i'r ymarfer cyntaf ar gyfer ''Y Chwarelwr''.

''Rwyt ti'n colli dy wallt yn o ddrwg, 'ngwas i,'' oedd ateb y gŵr â'r brwsh.

''Mynd yn hen, wel'di. Mi fydda i'n dair ar ddeg a deugain yr wsnos nesa.''

''Taw, fachgan! Rhaid inni gael te-parti . . . Reit, mi wnei di'r tro rŵan. Hannar munud, imi gael taro'r brwsh 'ma dros dy het di.''

Gan fod y rhan fwyaf o'r rhaglen wedi'i recordio ymlaen llaw, dim ond pedwar actor a oedd yn y stiwdio. Teimlai William Jones, ar y ffordd i'r lle â'r sgript o dan ei fraich, fod y B.B.C. yn talu arian da iddo am y nesaf peth i ddim—tair golygfa, un wrth droed y graig cyn tanio, un yn y caban-ymochel, a'r llall eto yn y fargen ar ôl y ffrwydriad. Diar, haerllugrwydd oedd cymryd y pres am cyn lleied o waith. Am chwarter wedi wyth y noswaith ddilynol y darlledid ''Y Chwarelwr'', ond yr oedd yn rhaid i William Jones fod yn y stiwdio am hanner awr wedi pump ar gyfer yr ymarfer terfynol. Aethant drwy'r rhaglen i gyd am chwarter i saith, ac ymddangosai Emrys Lloyd yn bur fodlon arni pan yrrodd yr actorion am gwpanaid o de tua chwarter i wyth.

---

ymarfer: *practice*
yn o ddrwg: *rather badly*
mi wnei di'r tro: *you'll do,* (gwneud y tro)
taro: h.y. dodi
am y nesaf peth i ddim: h.y. *for next to nothing*
tanio: *to fire*
caban-ymochel: lle yn y chwarel i guddio ynddo pan maen nhw'n tanio
y fargen: y wal o graig lle roedd y chwarelwr yn gweithio
ffrwydriad: *explosion*
haerllugrwydd: *impudence*
pres (G.C.): arian
dilynol: *following*
y darlledid: *that . . . would be broadcast,* (darlledu)
terfynol: olaf
ymddangosai: *appeared,* (ymddangos)
yn bur fodlon: *quite pleased*
gyrrodd (G.C.): anfonodd, (gyrru)

"Triwch gofio troi dalen eich sgript yn berffaith ddistaw, Mr. Jones, rhag i'r sŵn fynd i'r meic," oedd cyngor olaf Mr. Lloyd iddo. "Pob hwyl i chi!"

Ym Mryn Glo, aethai Crad i'r drws nesaf ryw awr yn rhy gynnar.

"Faint ydi hi o'r gloch, Meri?" gofynnodd ychydig wedi saith.

"Rhyw bum munud wedi saith."

"Mi a' i draw i'r drws nesa i fod yn barod."

"Ond diar annwl, am chwarter wedi wyth y mae'r peth."

"Ia, ond 'falla' . . . y byddan nhw'n dechra'n gynnar, wsti."

"Dydyn nhw byth yn gwneud hynny, Crad."

"O, ydyn. Mi glywis i am ryw raglan yn dechra awr cyn 'i hamsar."

"Chlywist ti ddim o'r fath beth. Ista wrth y tân 'na."

"Mi a' i draw at Dai Morgan am sgwrs."

Ymgasglodd y teulu i gyd o gwmpas set-radio Idris Morgan tuag wyth o'r gloch.

"Tro fo ymlaen, Idris," meddai Crad. "Rhag ofn."

Daeth llais rhyw ferch yn canu am noson serog a'r lloer yn llawn.

Eisteddai Mrs. Morgan, gwraig fechan nerfus a'i gwallt yn wyn perffaith, wrth ochr Meri, a gwgodd Crad.

"Wn i ddim sut y medrwch chi wrando a gweu," meddai.

Daeth y gân i'w therfyn.

"Reit." A chroesodd Crad ei goesau a rhoi ei fawd yn nhwll-braich ei wasgod. Ond yr oedd gan y ferch gân arall am grwydro yn llaw ei chariad dan y serog nen.

"Ydi'r gryduras byth yn mynd i'w gwely, deudwch!" chwyrnodd Crad. "Mae hi'n siŵr o fod ymhell ar ôl chwartar wedi wyth."

"Na, ma' munud arall i fynd," meddai Idris.

Aeth y munud heibio, ac yna cyhoeddodd llais raglen "Y Chwarelwr".

---

aethai Crad: roedd Crad wedi mynd
serog: *starry*
lloer: lleuad
gwgodd Crad: *Crad frowned,* (gwgu)
terfyn: diwedd
bawd: *thumb*
nen: awyr
y gryduras: h.y. y greadures, *the creature (female)*
chwyrnodd Crad: *Crad snarled,* (chwyrnu)

''Hen bryd hefyd,'' oedd sylw Crad.

''Odi Wncwl William yn y dechra?'' gofynnodd Wili John.

''Sh!'' meddai ei dad.

Nid oedd Wncwl William yn y dechrau. Cafwyd golygfa mewn tŷ, un arall yn y wal, un wedyn yn yr efail, ond nid oedd sôn am William Jones.

''Shwd ma' nhw'n gwau y sawdwl ddwbwl 'ma? Odych chi'n gwpod?' gofynnodd Mrs. Morgan i Feri.

''O, mae gin i batrwm yn rhywla yn y tŷ,'' atebodd hithau. ''Mi chwilia . . .''

''Sh!'' Edrychai Crad yn ffyrnig.

''Mi chwilia i amdano fo 'fory,'' sibrydodd hithau.

'''Na Wncwl William!'' meddai Wili John.

''Naci. Sh!'' atebodd ei dad.

'''Falle'u bod nhw 'di'i newid a ar y funad ddwetha,'' meddai Eleri.

''Nac ydyn. Sh!''

''Ne' dorri'i *scenes* a mas,'' awgrymodd Wili John.

''Naddo. Sh!''

Daeth llais Huw Parri cyn hir, a mawr oedd y cyffro yn y parlwr.

''Dyna fo!''

'''Na fe!''

'''Na Wncwl!''

''Ia, 'na fe!''

''Sh!''

Cytunent oll fod William Jones yn wych.

Ar ôl swper, crwydrodd Crad a Wili John ac Eleri i lawr i'r orsaf i roi croeso brwd iddo.

''Mi roist y cwbwl i gyd yn y cysgod, William,'' oedd barn Crad.

* * * *

Aeth William Jones i lawr i Gaerdydd eto yr wythnos wedyn i gymryd rhan ym mhennod gyntaf ''Y Pwll Du''. Wedi i'r

---

gefail: *smithy*
sôn: h.y. *sign*
gwpod (D.C.): h.y. gwybod
yn ffyrnig: yn grac/flin iawn
sibrydodd: *(she) whispered,* (sibrwd)
cyffro: *excitement*
cytunent oll: roedden nhw i gyd yn cytuno
brwd: h.y. cynnes

actorion ymgynnull yn yr ystafell-aros, daeth Ellis Owen, y cyfarwyddwr, atynt i wrando ar y darlleniad cyntaf. Gyferbyn â William Jones, eisteddai gŵr yn tynnu at ei ddeugain oed, a theimlai'r chwarelwr yn sicr iddo'i gyfarfod yn rhywle o'r blaen. Dywedai ei ddwylo mai athro ysgol neu rywbeth tebyg ydoedd. Wyneb tenau, myfyrgar; llygaid onest, chwerthingar, o las golau; talcen uchel iawn; gwallt crychiog yn dechrau britho uwch ei glustiau. Adwaenai ef, yr oedd yn siŵr o hynny. Ymh'le y gwelsai ef o'r blaen? Yn Llan-y-graig? Na, Deheuwr oedd hwn, a barnu oddi wrth ei iaith. Ym Mryn Glo? Na, ni chofiai ei gyfarfod ym Mryn Glo. Ceisiai llygaid y chwarelwr lynu wrth y sgript yn ei ddwylo, ond ni fedrai yn ei fyw beidio â thaflu golwg slei ar y gŵr. Beth oedd enw'r dyn tybed? Edrychodd ar ddalen flaen y sgript—Lewis James, Evan Thomas, David Jenkins, Ted Howells, Phillip . . . Yr argian fawr! Howells! Nid *Lieutenant* Howells? Ia, fo oedd o—wedi tyfu'n ddyn, a'r gwallt a fu'n gnwd unwaith yn awr yn denau a brith. Ond Howells, Howells oedd o.

"Chi yw Ben Roberts, ontefe, Mr. Jones?"

"O, mae'n ddrwg gin i, Mr. Owen." A sylweddolodd William Jones i'r cwmni o actorion ddechrau darllen y ddrama.

Ar ôl y darlleniad, pan godai pawb i fynd i'r stwidio, cydiodd y chwarelwr ym mraich Howells.

"*Lieutenant* Howells!"

"Jones! Fachgen! Jones!" gwaeddodd, gan roi ei ddwy law ar ysgwyddau William Jones.

"Odych chi'n 'nabod eich gilydd, 'ta'?" gofynnodd Ellis Owen, y cyfarwyddwr, a safai gerllaw.

"'Nabod ein gilydd! Ellis, bachan, fyddwn i ddim yma 'eddi oni bai am Jones 'ma. Ond fe 'weda i'r stori wrthoch chi yn y cantîn. Fachgen! Jones!"

---

ymgynnull: h.y. dod at ei gilydd
yn tynnu at: *getting on for*
sicr: siŵr
myfyrgar: *studious*
crychiog: cyrliog
britho: gwynnu
adwaenai ef: roedd e yn ei adnabod
y gwelsai ef: yr oedd e wedi'i weld
barnu: *to judge*
glynu wrth: h.y. dal (ei lygaid) ar
yn ei fyw: *for the life of him*
yr argian fawr!: *goodness gracious!*
cnwd: *crop*
brith: llwyd
a safai: a oedd yn sefyll
gerllaw: yn ymyl
'eddi: h.y. heddiw
fe 'weda i: h.y. fe ddywedaf i, (dweud)

Aethant am gwpanaid o de tuag wyth, ac eisteddodd y chwarelwr nerfus gyda Howells ac Ellis Owen a dyn tawel canol oed o'r enw David Jenkins. Mynnodd Howells adrodd hanes gwrhydri William Jones yn Ffrainc, a phan ddychwelodd pawb i'r stiwdio, teimlai'r dyn bach yn anghyffyrddus: yr oedd yn amlwg yr edrychai'r actorion arno gyda pharch ac edmygedd.

Aeth y ddau i'r orsaf gyda'i gilydd, gan fod rhan helaeth o'u taith yn yr un trên. Adroddodd William beth o'i helynt, a chafodd yntau hanes Howells. Pa bryd y deuai Jones draw i'w weld? Beth am y Sadwrn wedyn? Campus! Byddai Olwen a'r plant wrth eu bodd.

Edrychai William Jones ymlaen at ddweud y stori wrth Grad, ond pan gyrhaeddodd Fryn Glo, Wili John a'i cyfarfu yn yr orsaf.

''Lle mae dy dad, 'ngwas i?''

''Yn 'i wely, Wncwl. Y doctor 'di bod.''

''O?''

''Ma' fa 'di methu cal 'i anal am awr, Wncwl, a ma' fa mor wannad â chath.''

Yn y tŷ, gwelodd ei brawd ar unwaith y pryder yn llygaid Meri.

''O, tipyn o orffwys, a mi fydd yr hen Grad yn iawn eto,'' meddai wrthi. Ond yr oedd ofn yn ei galon.

''Sut hwyl gest ti, William?'' oedd cwestiwn Crad pan aeth William Jones at ochr ei wely.

''Reit dda, fachgan. Wyddost ti pwy welis i yno?''

''Gwn. Ifan Siwrin!''

''Howells. *Lieutenant* Howells oedd hefo mi yn y Fyddin. Ac rydw i'n mynd draw ato fo ddydd Sadwrn.''

''Yn lle mae o'n byw?''

''Ddim ymhell o'i hen gartra yn y Rhondda. Mae o'n athro ysgol yno, ac mae gynno fo ddau o blant, y rhai dela welist ti 'rioed, yn ôl y llun ddangosodd o imi.''

---

mynnodd Howells: *Howells insisted,* (mynnu)
gwrhydri: dewrder
edmygedd: *admiration*
y rhan helaeth: *most part*
helynt: h.y. stori ei fywyd
y deuai Jones: y byddai Jones yn dod
campus: ardderchog
cyfarfu: cwrddodd, (cyfarfod—*to meet*)
anal: h.y. anadl, *breath*
mor wannad â: h.y. mor wan â
pryder: gofid
gorffwys: *rest*
dela (G.C.): pertaf

"Piti na chawn i dy glywad di nos 'fory, hefyd, fachgan. Y doctor 'na am imi aros yn fy ngwely."

"Twt, paid â phoeni; 'rwyt ti wedi darllen y sgript."

Ond fe gafodd Crad wrando ar bennod gyntaf "Y Pwll Du". Daeth Wili John adref yn gynnar o'i waith gyda'r nos drannoeth.

"Be sy gin ti, dywad?" gofynnodd ei fam.

"Set-radio On apro. No obligeshion. Dau swllt yr wythnos."

Nid oedd dim terfysglyd iawn ym mhennod gyntaf "Y Pwll Du". Darlun ydoedd o bedwar coliar a bachgen newydd adael yr ysgol am y lofa yn paratoi i fynd i'w gwaith un bore—astudiaeth ddiddorol o bum cymeriad a chefndir eu cartrefi. Gwrandawai Crad ar bob gair o enau Ben Roberts ag awch: nid oedd wiw i neb symud llaw na throed.

"Campus, William! Y gora ohonyn nhw, 'ngwas i. O ddigon," oedd dyfarniad y claf pan ddychwelodd yr actor. "Chdi a Howells."

"Rydan ni'n dau yn mynd draw i'w gartra fo ddydd Sadwrn, Crad—hynny ydi, os byddi di'n teimlo'n ddigon da."

Ond ei hunan yr aeth William Jones yn gynnar y prynhawn Sadwrn hwnnw a mawr oedd y croeso a gafodd y chwarelwr gan Olwen Howells a chan y plant, Ieuan a Mair. Gorweddai tipyn o barc o dan y tŷ, ac yno y treuliodd y ddau ddyn a'r plant y rhan fwyaf o'r prynhawn yn gwylio pedwar llanc yn chwarae tennis.

Fel un o gyfeillion eu tad ar y radio yr edrychai'r plant ar Wncwl; ni wyddent ddim am y noson erchyll yn Ffrainc. Ond honno a gofiai eu mam wrth benderfynu bod yn rhaid i'r ymwelydd gymryd chwaneg o'r jam neu damaid arall o gacen. Ni wyddai William Jones sut y medrai lusgo adref ar ôl bwyta cymaint. Diar, rhai da am fwyd a chroeso oedd pobol y Sowth, yntê?

---

na chawn i: na fyddwn i'n cael
am imi: eisiau i fi
terfysglyd: h.y. cyffrous
glofa: pwll gló
astudiaeth: *study*
genau: ceg
awch: *zest*
nid oedd wiw i neb: h.y. *woe betide anyone*
o ddigon: *by far*
dyfarniad: *verdict*
chdi (G.C.): h.y. ti
cyfeillion: ffrindiau
ni wyddent ddim: doedden nhw ddim yn gwybod
erchyll: ofnadwy
chwaneg: rhagor
ni wyddai W.J.: doedd W.J. ddim yn gwybod

Ar ôl te, cerddodd ef a Howells i lawr i waelod y pentref i weld tad a mam yr athro. Cronnai'r dagrau yn llygaid Mrs. Howells wrth iddi ysgwyd llaw ag ef, a thaflai olwg tyner a phell tua'r mur lle'r oedd darlun hardd o'i mab mewn gwisg filwrol. Ysgydwodd William Jones ei ben a gwenodd wrth groesi'r parlwr i syllu ar y llun. Diar, fel yr aethai'r blynyddoedd heibio, yntê, mewn difrif!

Gwrthododd William Jones aros i swper yn nhŷ Ted Howells. Pryderai am Grad, meddai, ond mynnodd Olwen iddo gymryd cwpanaid yn ei law cyn cychwyn. Brysiodd o'r orsaf ym Mryn Glo, a phwy a welai y tu allan i siop yr Eidalwr ond Wili John.

"Sut mae dy dad?" gofynnodd.

"Ma' fa mas."

"Ond roedd y Doctor . . . Mas ymh'le?"

"Yn nhŷ Gomer, 'wy'n credu."

Aeth William Jones yn syth i dŷ Shinc. Yno, dadleuai Crad na wyddai'r Comiwnyddion y gwahaniaeth rhwng trefn ac anrhefn. Yr oedd Shinc ar ei draed a'i ddyrnau yn yr awyr i wneud ei ddadleuon yn gliriach. Tybiai'r chwarelwr mai ei ddifyrru ei hun yr oedd Crad, ond ofnai iddo ddewis ffordd nad ystyriai'r meddyg yn fendithiol. Tawelwch a gorffwys fuasai ei gyngor ef.

"Ddaru'r Doctor alw pnawn 'ma, Crad?"

"Naddo, wir, William. Ddaeth y creadur ddim yn agos."

"Ond doeddat ti ddim i godi nes iddo fo dy weld di."

"Os ydi'r bôi yn meddwl fy mod i'n mynd i aros yn fy ngwely i'w blesio fo, mae o'n gwneud coblyn o gamgymeriad. Be 'tai o ddim yn galw am fis?"

"Ond gorffwys ddeudodd o, Crad."

---

cronnai'r dagrau: roedd y dagrau'n casglu, (cronni)
ysgwyd llaw: siglo llaw
aethai: roedd . . . wedi mynd
mewn difrif: *in all seriousness*
pryderai: roedd e'n gofidio
mynnodd Olwen: *Olwen insisted,* (mynnu)
dadleuai Crad: *Crad argued,* (dadlau)
na wyddai'r Comiwnyddion: *that the Communists did not know,* (gwybod)
anrhefn: *disorder*
dyrnau: *fists*
tybiai'r chwarelwr: roedd y chwarelwr yn tybio/credu
na ystyriai'r meddyg: *that the doctor would not consider,* (ystyried)
bendithiol: *beneficial*
cradur: h.y. creadur
coblyn o gamgymeriad: h.y. camgymeriad mawr

"Gorffwys! Mi gysgis i drwy'r pnawn, ond ar ôl te dyma fabi Nymbar Wan—plentyn Sali Dew—yn sgrechian digon i fyddaru'r meirw, a rhyw gathod yn ffraeo yn y cefn 'cw, a rhyw ddyn bach piwis yn malu awyr ar y weiarles 'na . . . Gorffwys!"

Bu raid i Grad drannoeth aros yn ei wely yn lle mynd i'r capel. Er hynny, cafodd y gwasanaeth o Salem a phregeth Mr. Rogers —ar y radio. Ac wrth ei ddilyn, melys oedd dychmygu'r olygfa—Richard Emlyn, hogyn Shinc, wrth yr organ; David Morgan yn taflu golwg rhybuddiol o flaen pob emyn ar ddau leisiwr anhydrin—Isaac Jones yn y Sêt Fawr a Mrs. Bowen yn un o'r seddau blaen; Idris wrth ei ochr yn gwrando'n astud ar bob nodyn a ddihangai o'r organ; Jac Jones, glanhawr y capel, yn pesychu'n uchel er mwyn i'w ferch yng Nghaerdydd ei glywed; a William Jones, rhwng Eleri a Wili John, yn credu y dibynnai llwyddiant y darllediad ar yr eiddgarwch yn ei lygaid ef.

Arhosodd Crad yn ei wely y bore trannoeth, hefyd ond teimlai'n llawer gwell ar ôl cinio a chrwydrodd ef a William Jones i lawr i waelod y pentref am dro. Rhuthrodd Twm Edwards atynt gerllaw Neuadd y Gweithwyr.

"Otych chi 'di clywed, bois?"

"Clywad be?" gofynnodd Crad.

"Ma' pymthag o' ni 'di cal gwaith."

"Taw, fachgan! Ymh'le?"

"Yn Llan-y-bont. Ma' nhw'n mynd i gwnnu *arsenal* mawr yno, gwaith i filodd. Labro fydda i, ond ma' rhai fel Seimon Jenkins y Saer 'di cal jobyn nêt. Fe fydd bws yn mynd o fan hyn bob bore ac yn ôl bob nos. 'Na dda, ontefa!"

"*Arsenal*?" meddai William Jones. "Be 'di hwnnw, deudwch?"

"Miwnishons, bachan."

---

byddaru: *to deafen*
y meirw: *the dead*
piwis: *peevish*
malu awyr: *to talk nonsense*
trannoeth: y bore wedyn
dychmygu: *to imagine*
rhybuddiol: *of warning*
anhydrin: anodd eu trin/trafod
yn astud: h.y. yn ofalus
a ddihangai: a oedd yn dianc
eiddgarwch: *zeal*
o' ni: h.y. ohonon ni
cwnnu (D.C.): codi
nêt: *neat,* h.y. da
miwnishons: h.y. *ammunitions*

"Diar annwl! Ond 'on i'n meddwl mai ar gyfar rhyfel yr oedd isio llefydd felly?"

"Ia, ia, ar gyfer rhyfal y ma' nhw. Rhag ofan, 'chi'n deall. Y bachan 'Itler 'na. Ma'n bryd rhoi stop arno fa. Rodd Shinc yn gweud wrtho'i . . ."

Ond brysiodd William Jones draw i'r Swyddfa Lafur. Ysgydwodd y clerc ei ben. Y mae'n debyg y byddai gwaith ymhellach ymlaen, ond yr oedd yn rhaid cael yr adeiladau'n barod yn gyntaf, a chawsant ddigon o ddynion i hynny. Efallai yr hoffai Mr. Jones alw ymhen rhyw fis?

Trannoeth, yn y prynhawn, derbyniodd lythyr oddi wrth Tom Owen, y Stiward, yn canmol ei waith ar y radio ac yn holi ei helynt. Mawr oedd y sôn am "Y Chwarelwr", ac edrychai pawb ymlaen at benodau eraill "Y Pwll Du". Gwelsai Tom Owen yn y papur hefyd mai William Jones fyddai'r holwr yn y gyfres, "Holi ac Ateb" a oedd ar gychwyn. Cofiai ei hen gyfeillion yn y chwarel ato'n fawr iawn, ac ef oedd testun llawer sgwrs yn y cabanau. Wedi chwaneg i'r un perwyl, "Ni wn beth yw eich cynlluniau yn awr," meddai'r llythyr, "ond os penderfynwch droi'n ôl i'r chwarel bydd yn bleser gennyf wneud yr hyn a allaf trosoch."

"Chwara teg iddo fo!" oedd sylw Meri a Chrad pan ddangosodd y llythyr iddynt. Yna aeth William Jones â Mot am dro i fyny'r mynydd, ac eisteddodd cyn hir ar y ddaear gynnes i syllu ar draws y cwm. Yn araf, fel yr edrychai, llithrodd tawch ysgafn dros yr olygfa ac ymwthiodd darlun arall i'r golwg drwyddo. Gwelai doeau tai a chapeli a thŵr eglwys Llan-y-graig ac uwchlaw iddynt y llwybr a ddringai tua'r chwarel. Chwaraeai'r awel yn y coed uwch Afon Gam a chrwydrai rhyw bysgotwr araf tua'r Pwll Dwfn yn is i lawr. Deuai sŵn plant o'r caeau gerllaw, a gwelai Gwen a Megan a Meurig, plant yr Hendre, yn cael hwyl yn y cynhaeaf gwair, a Thwm Ifans, eu tad yn dweud y drefn wrth Cymro, y ci . . .

---

gweud (D.C.): h.y. dweud
helynt: h.y. hanes
chwaneg: rhagor
i'r un perwyl: *to the same effect*
tawch: niwl
i'r golwg: *into view*
is i lawr: *lower down*
deuai: roedd . . . yn dod
dweud y drefn: *to lay the law down*

Wrth gwrs, byddai'n rhaid iddo aros am rai wythnosau eto ar gyfer "Y Pwll Du" a'r "Holi ac Ateb" 'na a oedd i gychwyn ymhen pythefnos. A soniasai Howells fod y dyn a ofalai am "Awr y Plant" yn bwriadu cynnig rhan iddo mewn rhyw gyfres o ddramâu. Beth oedd enw'r gyfres, hefyd? Ni chofiai, ond clywsai mai helyntion nifer o deganau mewn ffenestr siop oedd y deunydd, ac mai milwr bach coch a syrthiasai oddi ar silff a thorri ei goes fyddai ef . . . Ac wedyn, fe fyddai'n rhydd i droi'n ei ôl . . . Yn y chwarel yr oedd ei le ef, yntê? Ac yr oedd hi'n hen bryd iddo ddychwelyd yno at yr hen hogia . . . Oedd, 'Nen' Tad . . . Nid gwaith hawdd fyddai gadael Bryn Glo, a methasai wneud hynny unwaith. Chwarae teg i'r B.B.C.; talent arian reit dda a medrai roi pres i Feri cyn mynd . . . Medrai . . . Byddai'n siŵr o deimlo'n chwithig am amser ar ôl blwyddyn yn y Sowth fel hyn, a hiraethu am Eleri a Wili John a Meri . . . A'r hen Grad . . . Ia, wir . . .

Na, ni hoffai'r olwg ar Grad, yr oedd yn rhaid iddo gyfaddef . . . A beth pe . . .? Twt, codi ysbrydion oedd hel meddyliau felly. Ni ddigwyddai dim i Grad; cawsai byliau fel hyn o'r blaen, a dyfod trostynt. Ond . . . Cyfarthodd Mot gan awgrymu iddo flino ar fod yn ei unfan gyhyd. Cododd William Jones.

"O'r gora, Motsi Potsi, mi awn ni. A wnawn ni ddim gadal yr hen Grad, wnawn ni?"

Pranciodd a chyfarthodd y ci mewn llawenydd mawr.

"Dim peryg! 'Tasa' nhw'n cynnig job i ni fel Jineral Manijar, a'r hen Grad yn sâl, mi fasan ni'n deud wrthyn nhw am fynd i ganu, ond' fasan, 'ngwas i?"

Yr oedd hi'n amlwg y cytunai Mot.

---

soniasai Howells: roedd Howells wedi sôn/dweud
clywsai: roedd wedi clywed
deunydd: *material*
a syrthiasai: a oedd wedi syrthio
'Nen' Tad: yn enw'r Tad
methasai: roedd wedi methu
talu: roedden nhw'n talu
chwithig: *strange*
golwg: *look*
cyfaddef: *to admit*
codi ysbrydion: h.y. *imagining difficulties*
hel meddyliau: h.y. *pondering*
ni ddigwyddai dim: fyddai dim yn digwydd
cawsai: roedd wedi cael
pyliau: *bouts*
dyfod: dod
cyhyd: am gymaint o amser
peryg: h.y. perygl, *danger*
mynd i ganu: h.y. *to go to hell*
y cytunai Mot: bod Mot yn cytuno

Pennod XIII

UN GARW

Nid ysgrifennai William Jones at Leusa o gwbl yn awr. Ar y cyntaf sgriblai nodyn ond buan bodlonodd ar daro'r arian mewn amlen heb drafferthu i lunio gair at Leusa. Câi beth o'i hanes hi a'i brawd weithiau yn llythyrau Bob Gruffydd, a derbyniasai un epistol hir oddi wrth Twm Ifans yr Hendre yn cofnodi holl helyntion pawb yn y pentref.

Cawsai Leusa dipyn o fraw pan ddiflannodd ei gŵr i'r De, ond dywedai wrthi ei hun y troai yn ei ôl cyn pen wythnos. Gweld-odd cyn hir fod William Jones o ddifrif, a bu'n rhaid iddi fynd ati i geisio byw'n gynilach. Daliai i grwydro i Gaernarfon pan oedd arian ganddi, ac nid oedd dim a'i cadwai draw o'r sinema bob nos Lun a nos Iau. Y rhent? Twt, fe allai hwnnw fynd i'w grogi am rai misoedd; yr oedd yn rhaid i rywun gael rhyw bleser mewn bywyd. Galwodd yr hen Sally Davies, perchen y tŷ, i egluro ei bod hi'n weddw ac yn dlawd a bod llawer o gostau ar hen dai a'r trethi'n uchel. Addawodd Leusa dalu'r rhent drannoeth—gan anghofio'n llwyr iddi drefnu mynd draw i'r Rhyl i weld ei chyfnither.

Yna daeth ei brawd i fyw ati. Gwerthodd ei ddodrefn bron i gyd, ac wedi gosod ei dŷ, fe'i gwnaeth ei hun yn gysurus hefo'i chwaer. Punt yr wythnos a dalai iddi, ond gan ei fod yn fwytawr go fawr, bu'n rhaid i Leusa ofyn iddo am goron arall cyn hir.

---

buan: *soon*
bodlonodd: *he became satisfied,* (bodloni ar)
taro: h.y. dodi
trafferthu: *to bother*
llunio gair: h.y. ysgrifennu gair
câi: byddai'n cael
derbyniasai: roedd e wedi derbyn
epistol: llythyr
cofnodi: *to record*
cawsai Leusa: roedd Leusa wedi cael
braw: ofn
o ddifrif: *in earnest*
yn gynilach: *more economical*
daliai: roedd hi'n parhau, (dal i)
a'i cadwai draw: a oedd yn ei chadw i ffwrdd
mynd i'w grogi: h.y. *to go to hell*
addawodd Leusa: *Leusa promised,* (addo)
yn llwyr: *totally*
gosod: *to rent*
bwytawr: un sy'n bwyta
coron: 5 swllt, 25 ceiniog

Dechreuodd Leusa wnïo ychydig hefyd i ennill tipyn o arian. Ond ni bu llwyddiant mawr ar yr ymdrechion hynny. Addawai'r wisg neu'r sgyrt yn ddi-ffael erbyn diwedd yr wythnos, ond pan alwai'r cwsmer pryderus, byddai'r wniadwraig yng Nghaernarfon neu yn y Rhyl neu rywle, a'r dilledyn heb ei gyffwrdd. "Dim amsar," oedd esgus Leusa tros roi'r gorau i'r gwaith yn gyfan gwbl ymhen mis neu ddau.

* * * *

Susan, gwraig Huw Lewis, a dorrodd y newydd iddi fod William Jones yn cyflawni gorchestion tua'r De. Cawsai Bob Gruffydd air oddi wrth ei hen bartner yn sôn am "Y Chwarelwr".

Yn Siop Ucha y cyfarfu Susan a Leusa.

"Pwy fasa'n meddwl yntê!" meddai Susan.

"Be?" gofynnodd Leusa.

"A fynta'n un bach mor ddiniwad!" chwanegodd Susan.

"Pwy? . . ."

"William Jones. Pwy fasa'n meddwl, yntê!"

"Ia, wir, hogan," meddai Leusa, gan geisio ymddangos yn wybodus.

"Chwerthin ddaru Huw 'cw pan ddeudodd Bob Gruffydd wrtho fo yn y chwaral ddoe. William Jones o bawb, yntê!"

Beth a ddigwyddasai, tybed? A oedd William wedi dianc o'r Sowth i America hefo gwraig rhywun?

"Be oedd Bob Gruffydd yn ddeud?"

"Chwartar wedi wyth nos Wener. Stesion Caerdydd."

Am drên yn gadael gorsaf Caerdydd y meddyliodd Leusa.

"Diar, da, yntê!" meddai Susan. "Mi fydd 'na filoedd yn gwrando arno fo. Miloedd ar filoedd, yn ôl Huw 'cw. Ac arian mawr."

---

ymdrechion: *efforts*
addawsai: byddai hi'n addo, *(to promise)*
yn ddi-ffael: *without fail*
pryderus: gofidus
esgus: *excuse*
rhoi'r gorau i: *to give up*
cyflawni: *to accomplish*
gorchestion: *feats*
cawsai: roedd . . . wedi cael
cyfarfu: cwrddodd
diniwad: h.y. diniwed, dim drwg (ynddo)
gwybodus: *well-informed*
ddaru (G.C.): wnaeth
a ddigwyddasai: a oedd wedi digwydd

Beth a wnaethai William? Ennill medal arall? Yn y gwaith glo, efallai. Cafodd Leusa gip o'i gŵr yn rhuthro drwy fflamau mewn pwll glo ac yn dychwelyd drwy'r tân, â choliar ar bob ysgwydd ac un dan bob braich. Ond sut y deuai'r canu i mewn i'r stori?

Cerddodd Leusa adref mewn dryswch mawr, gan deimlo'n ddig tuag at Susan Lewis. Pam na fuasai'r ddynes yn dweud ei stori'n iawn yn lle rhwdlan fel yna? Yr oedd Ifan Siwrin yn y tŷ, yn ei haros yn anniddig.

"Lle buost ti mor hir, dywad?" meddai. "Tyd, styria, yr ydw i i fod yn Llan Rhyd erbyn chwartar wedi un. *Peaches?* Diawch, mi agorwn ni hwn'na, Leusa. A samon? Mi agora i'r tunia iti. Yr ydw i'n un da am agor tun."

Pell a thawedog oedd Leusa wrth baratoi'r bwyd, a phan eisteddodd y ddau wrth y bwrdd, edrychodd ei brawd dros ei sbectol arni.

"Be sy'n dy boeni di?" gofynnodd.

"Susan, gwraig Huw Joli, yn deud bod William wedi cael medal arall."

"Medal am be?"

"Miloedd o bobol yn stesion Caerdydd yn gweiddi 'Hwrê' wrth iddo fo gychwyn i Buckingham Palace."

"Medal am be?"

"Ac mae o'n cal arian mawr y tro yma heblaw medal, ac mae'r Brenin wedi gofyn iddo fo ganu o'i flaen o a'r Frenhines."

Chwarddodd ei brawd dros y tŷ. Yr oedd hi'n haws llyncu'r samon na llyncu'r stori hon.

"Chwartar wedi wyth nos Wener, medda' hi. O stesion Caerdydd."

"Medal am be?"

"Wn i ddim, os nad aeth y pwll glo ar dân a bod William wedi medru achub rhai o'r dynion."

---

a wnaethai W.: a oedd W. wedi'i wneud
cip: *glance*
deuai: roedd . . . yn dod
dryswch: *confusion*
yn ddig: yn grac/yn flin
rhwdlan: siarad lol
yn ei haros: yn aros amdani
yn anniddig: *irritable*
styria!: *stir!*
tawedog: eithaf tawel

Dechreuodd Leusa sniffian crio.
"Be sy rwan?"
"Falla' y bydd o'n cal miloedd o bunna, a dyma fi yn fan 'ma yn byw fel llygoden eglwys."
"Gwaith glo ar dân, medal, arian mawr, miloedd o bobol yn stesion Caerdydd, canu o flaen y Brenin . . ."
"A'r Frenhines."
"Y nefoedd fawr! Estyn dipyn o'r *peaches* 'na imi. Yr unig beth sy gin i i'w ddeud ydi bod hi'n hen bryd i rywun gloi'r Susan Lewis 'na yn y Seilam."
"'Tasa' fo'n gyrru dim ond rhyw ganpunt imi, yntê!"
Wedi iddo gladdu hanner dwsin o'r afalau gwlanog, brysiodd Ifan Siwrin i'r cwt i nôl ei feic a gwthiodd ef yn ffyrnig drwy'r lôn gefn. Pan gyrhaeddodd y ffordd, âi Now Portar heibio, yn dychwelyd i'r orsaf ar ôl cinio.
"Tipyn o hen bry ydi o, Ifan Davies."
"Pwy?"
"William Jones. Pry garw."
"Ia, fachgan."
"Chwartar wedi wyth nos Wenar, yntê, o stesion Caerdydd?"
"Ia." Yr oedd yn rhaid bod rhyw wir yn y stori. "Sut y clywist ti, Now?"
"Yn Y Bwl nithiwr. Diawcs, mi fydd 'na le yno nos Fawrth! Ydach chi'n cofio'r ffeit rhwng Jack Peterson a Len Harvey? Roedd yr hogia i gyd yn Y Bwl, a mi fedrach glywad pin yn syrthio, Ifan Davies. Mi fydd hi'r un fath nos Wenar pan fydd William Jones wrthi . . ."
Yn y tŷ yn Llan-y-graig, aethai chwilfrydedd Leusa'n drech na hi. Darganfu gôt i William Jones yn y llofft, ac aeth â hi i lawr i dŷ Susan Lewis.
"Wrthi'n clirio tipyn ar y llofftydd acw," meddai, "a meddwl y gwnâi'r gôt 'ma i Huw yn y chwaral."

---

afalau gwlanog: *peaches*
cwt: sied
âi N.P.: roedd N.P. yn mynd
hen bry: hen bryf, h.y. *lad/case*
pry garw: h.y. *a heck of a lad/case*
wrthi: *at it*
aethai: roedd . . . wedi mynd
chwilfrydedd: *curiosity*
yn drech na: h.y. *got the better of*
darganfu: *she discovered,* (darganfod)
gwnâi'r gôt: byddai'r got yn gwneud

"Yn y chwaral!" Daliodd Susan y gôt i fyny i'w hedmygu. "Mi wnaiff iddo fo gyda'r nos—os nad ydi William Jones yn debyg o fod 'i hisio hi."

"Nac ydi—yn enwedig rŵan, a fynta'n mynd yn ddyn mor bwysig."

"Gobeithio y bydd y *reception* yn o dda, yntê?" meddai Susan.

Nodiodd Leusa. Mynd i briodi yr oedd ei gŵr? Priodi rhyw ddynes gyfoethog, efallai. Ia, dyna sut y câi arian mawr, ac yr oedd ef a'i wraig am ddal trên yng ngorsaf Caerdydd am chwarter wedi wyth nos Wener.

"Mae gin ti weiarles, on'd oes, Leusa?"

"Oes. Ac rydw i'n cal Luxemburg yn reit glir. Ar hwnnw y bydda i'n gwrando."

"I'r drws nesa 'ma y bydda i'n mynd, ond yn Y Bwl y bydd Huw. Mae o a Huws y Dentist a'r Twm Bocsar 'na a'r lleill wrth 'u bodd bob tro y bydd 'na focsio ne' râs ne' ffwtbol ar yr hen weiarles 'na, er mwyn iddyn nhw gal esgus dros fynd i'r Bwl i wrando arno fo. Yno y byddan nhw nos Wenar, mi gei di weld, a mi ddôn adra i gyd wedi yfad fel pysgod a'r Twm Bocsar 'na wedi'i dal hi. Wyt ti'n cofio pan oedd Jack Peterson wrthi y tro dwytha 'ma? . . . Ydi o'n sôn am ddŵad adra?"

"Nac ydi. Ond mae o'n gyrru pres imi yn reglar bob wsnos."

"Mae'n rhaid 'i fod o'n licio'i le tua'r Sowth 'na. Gobeithio na fyddan nhw yn betio y tro yma. Mi gollodd Huw goron pan oedd Jack Peterson wrthi. Ond wn i ddim ar be y betian nhw hefo William Jones. Be mae o'n wneud yn y Sowth 'na?"

"Yn y pwll glo. Dreifio'r caets i fyny ac i lawr."

"Caets?" Mewn sioe yr oedd peth felly, ond cuddiodd Susan ei hanwybodaeth tu ôl i'r gair "O?"

Treuliodd Leusa ryw awr yn nhŷ Susan Lewis, ond nid oedd fymryn callach pan droes tuag adref. Stori Leusa erbyn hyn

---

edmygu: *to admire*
câi: byddai'n cael
am ddal: yn bwriadu dal
ne': neu
esgus dros: *an excuse for*
wedi'i dal hi: h.y. wedi meddwi
dwytha: h.y. diwethaf
gyrru (G.C.): anfon, hala (D.C.)
pres (G.C.): arian
wsnos (G.C.): h.y. wythnos
coron: 5 swllt, 25 ceiniog
caets: *cage*
anwybodaeth: *ignorance*
mymryn callach: *none the wiser*

oedd i'w gŵr droi'n focsiwr tua'r De, a'i fod ef a Jack Peterson yn paratoi ar gyfer yr ornest nos Wener.

"Pwy ddechreuodd y straeon gwirion 'ma?" gofynnodd Ifan Siwrin wedi gorffen ei de.

"Bob Gruffydd yn y chwaral."

"O. Mi a i i'r Seiat heno i gal gair hefo fo. Fûm i ddim yno ers tro byd. I'r hen bictiwrs 'na wyt ti'n mynd, y mae'n debyg?"

"Dydw i ddim yn gofyn i ti dalu drosta i, Ifan."

Trawodd Ifan Davies ar Fob Gruffydd ar y ffordd allan o'r seiat.

"Chwartar wedi wyth nos Wenar, yntê?" meddai, gan geisio swnio'n ddifater.

"Ia . . . 'Rhoswch, Wmffra Roberts; mi ddo i hefo chi."

"Be fydd o'n wneud yno, Robat Gruffydd?"

"Fel 'sgotwr y deudodd o, er wn i ddim be ŵyr William am 'sgota." A rhuthrodd Bob Gruffydd drwy glwyd y capel ar ôl yr hen Wmffra Roberts.

Gan ei fod yn hoff o swper cynnar, paratôdd Ifan Davies bryd o fwyd ei hun yn y tŷ, ac yna cliriodd gongl y bwrdd i gael trefn ar ei lyfrau yswiriant. Ond ni châi hwyl ar ei waith. Canu, trên chwarter wedi wyth o Gaerdydd, miloedd o bobl, arian mawr, bocsio, pysgota—nid oedd synnwyr mewn dim a glywsai. Arian mawr, gorsaf Caerdydd, bocsio, miloedd o bobl, canu o flaen y Brenin, pysgota—gwylltiodd Ifan Siwrin ac aeth i'w wely, gan adael y llestri fel yr oeddynt ar y bwrdd.

Hefo'r llefrith yn y bore y daeth y gwirionedd.

"Peint, Mrs. Jones?" gofynnodd Wmffra Williams.

"Na, chwart hiddiw, Wmffra, imi gal gwneud pwdin-reis i Ifan Davies 'ma. Mae o'n un garw am bwdin-reis."

"Chwartar wedi wyth nos Wenar, yntê, Mrs. Jones?"

---

gornest: *contest*
gwirion (G.C.): twp
ers tro byd: ers tipyn o amser
trawodd I.D. ar . . . : *I.D. bumped into,* (taro ar)
difater: *unconcerned*
'sgotwr: h.y. pysgotwr, cf. 'sgota
be ŵyr William: beth mae William yn ei wybod
yswiriant: *insurance*
na châi: doedd e ddim yn cael
synnwyr: *sense*
a glywsai: yr oedd e wedi'i glywed
llefrith (G.C.): llaeth
gwirionedd: *truth*
garw: h.y. ofnadwy

A oedd hwn eto yn dechrau ar yr un giamocs â'r Susan Lewis 'na?

"Be ydach chi wedi'i glywad, Wmffra?"

"Dim ond 'i fod o ar y weiarles nos Wenar. Rhaglen am y chwaral, yntê?"

Pan ddaeth Ifan Davies i lawr i frecwast, yr oedd Leusa'n ddrwg iawn ei hwyl.

"Y Susan Lewis 'na," meddai. "Dydi hi ddim hannar call. Hi â'i medal a'i chanu o flaen y Brenin a'i harian mawr a'i risepsion a'i bocsio! Does 'na ddim byd yn y peth. Y cwbwl sy'n digwydd ydi fod William yn deud rhywbeth am y chwaral ar y weiarles nos Wenar. Be oedd y ffŵl isio sôn am ganu a Jack Peterson a phetha felly? Mi ro i focsio iddi hi!"

Edrychodd ei brawd yn syn arni, gan agor ei geg a syllu tros ei sbectol.

"Yr argian fawr, Leusa!" meddai.

"Be?"

"Dwyt ti ddim am ddeud wrtha i dy fod ti wedi talu'r un sylw i ryw glebran gwirion fel 'na? Roedd y peth mor glir â'r haul. Stesion Caerdydd."

"Oedd, o ran hynny, 'tasa' hi wedi deud 'i stori'n iawn yn lle rhwdlan fel y gwnaeth hi . . . 'Gymri di facwn ac wy bora 'ma Ifan?"

"Cyma, debyg iawn."

Cafodd "Y Chwarelwr" o leiaf ddau wrandawr beirniadol. "Yn hollol fel fo'i hun," oedd sylw Leusa, ond daliai Ifan nad oedd ei frawd yng nghyfraith fel pe'n trio o gwbl. Os actio, actio amdani, yntê? Gwrthodasai ei gyfle, yn arbennig wrth lefaru geiriau fel "taran" a "rhwygo" ac "ara deg". Ni ddeallai ef sut y dewiswyd William Jones i'r gwaith.

---

giamocs: nonsens
isio (G.C.): eisiau
mi ro i focsio iddi hi!: *I'll give her boxing!*
yr argian fawr!: *goodness gracious!*
am ddeud: yn bwriadu dweud
clebran gwirion: siarad twp
rhwdlan: siarad lol
gymri di?: gymeri di? (cymryd)
cyma: cymeraf, *(yes, I will take),* (cymryd)
debyg iawn: h.y. wrth gwrs
sylw: *observation*
daliai Ifan: *Ifan maintained,* (dal)
fel pe: fel petai e
gwrthodasai: roedd wedi gwrthod, h.y. colli
llefaru: h.y. dweud, adrodd

Daeth llais y dyn bach yn weddol aml drwy'r set-radio yn ystod y misoedd wedyn. Gwyddai Ifan Siwrin y gallai ef wneud yn ganmil gwell. Teimlai Leusa y dylai perchen y llais yrru dwybunt yn lle punt yr wythnos iddi, gan ei fod, bellach, yn ennill "arian mawr". Yr oedd ganddo fo wyneb i ddarlledu a'i wraig druan bron â llwgu.

*   *   *   *

Yna, yng nghanol Medi daeth Mr. Green i'r ardal. Goruchwyliwr newydd y sinema oedd Mr. Green. Sais bychan tew. Canolbwynt byd Mr. Green oedd ei ystumog anffodus, ac ufuddhâi'n fanwl i orchmynion ei feddyg. Bu'n lletya gyda Mrs. Preis, Y Bwl am ychydig ond buan y sylweddolodd nad oedd Y Bwl yn lle addas i ŵr fel efô, a dechreuodd chwilio am lety yn y pentref.

Gan fod Leusa'n un o flaenoriaid y sinema, daeth Mr. Green i'w hadnabod cyn hir, ac un bore ar y stryd, gofynnodd ei barn am y darlun a welsai ar y noson gynt. Gwych, meddai hithau, a theimlai'n ddiolchgar i Mr. Green am ddwyn Greta Garbo i'r pentref mor aml. Sut yr oedd ei ystumog? O, piti, piti, hen beth ofnadwy. Diar, fe fuasai ei mam druan yn cwyno hefo'i chylla am dros ddeng mlynedd. Gobeithio bod Mr. Green yn ofalus iawn—dim hen bicyls a brôn a phethau felly.

Galwodd y gŵr bach tew i'w gweld yn y prynhawn. Chwiliai am lety, meddai, a daethai i'w feddwl y gallai hi, yn arbennig gan iddi gael y profiad o ofalu am ei mam, ei dderbyn i'w thŷ. Ychydig oedd ei anghenion, talai arian da am le cysurus, a byddai'n falch o gynnig sedd rad ac am ddim iddi yn y sinema bob nos Lun a nos Iau. Curodd Leusa wy mewn glasiad o lefrith iddo.

---

gwyddai I.S.: roedd I.S. yn gwybod
perchen: *owner*
wyneb: h.y. *cheek*
darlledu: *to broadcast*
llwgu: *to starve*
goruchwyliwr: rheolwr
canolbwynt: *focal point*
ufuddhâi'n fanwl: *he would meticulously obey,* (ufuddhau)
gorchmynion: *commands, instructions*
lletya: *to lodge*
blaenoriaid: *deacons*
gwelsai: roedd (hi) wedi'i weld
dwyn: h.y. dod â
cylla: stumog
daethai: roedd wedi dod
anghenion: *needs*
llefrith (G.C.): llaeth

Gan mai bwyd llwy, gan mwyaf, a ddeisyfai'r dieithryn, ni phoenid ef yn bersonol gan ddiffygion coginiol gwraig y tŷ, a chwarae teg iddi hithau, gwnâi ei gorau iddo. O, yr oedd Mr. Green yn ddyn bach mor neis, er ei fod yn dioddef cymaint ac yn bwyta'r nesaf peth i ddim, a newydd golli ei wraig, a'i ferch wedi dianc i America hefo gŵr rhywun arall, a pherchnogion y sinema yn ei feio ef bob tro y byddai'r lle'n hanner gwag.

Torri i grio a wnaeth Leusa pan holodd Mr. Green hi am William Jones. Buasai ei gŵr yn un mwyn a charedig am flynyddoedd, meddai, ond daethai rhywbeth drosto'n sydyn y llynedd, a dechreuodd gicio'r dodrefn o gwmpas y lle a rhegi fel cath a'i tharo nes bod ei dannedd-gosod yn dipiau yn ei cheg. Cododd y lletywr o'i gadair i'w chysuro, a rhoes Leusa ei phen ar esmwythdra'i wasgod i wylo. Ers faint y ciliasai i'r De? Pymtheg mis! Yr oedd hi'n bryd iddi ei ysgar. Ond nid oedd ganddi fodd i fyw heb y bunt a yrrai ef iddi bob wythnos. Modd? Nid oedd yn rhaid iddi bryderu am hynny. Yr oedd ef, Mr. Green, yn hoff iawn ohoni ac yn ddiolchgar am lawer wy wedi'i guro mewn llefrith. Taflodd Leusa ei breichiau am wddf Mr. Green, a galwodd ar Ifan Davies, a drwsiai ei feic yn y cefn, i'r tŷ i dorri'r newydd iddo—ac i fod yn dyst o'r cyfamod.

Trannoeth, âi Mr. Green i Fangor ynglŷn â rhyw ffilmiau, a chynigiodd Leusa fynd gydag ef. Ysgwyd ei ben a wnaeth y cyfreithiwr yr ymgynghorodd y ddau ag ef. Pymtheg mis! Yr oedd yn rhaid, yn ôl y ddeddf i William Jones fod i ffwrdd am dair blynedd. Ond gallai Mrs. Jones ei gyhuddo o greulondeb, yn enwedig ar ôl y llanastr a wnaethai ar y dodrefn, ac ar ei dannedd-gosod. Na, meddai Leusa'n frysiog, nid oedd ganddi

---

a ddeisyfai: yr oedd ... yn gofyn amdano, (deisyfu—*to desire*)
dieithryn: *stranger*
diffygion: *deficiences*
gwnâi: roedd hi'n gwneud
daethai: roedd ... wedi dod
yn dipiau: yn ddarnau mân
cysuro: *to comfort*
esmwythdra: *comfort*
ciliasai: roedd (e) wedi cilio/dianc
ei ysgar: *to divorce him*
modd: ffordd
pryderu: gofidio
tyst: *witness*, cf. tystion
cyfamod: *pact*
âi: roedd ... yn mynd
yr ymgynghorodd ...: *that the two consulted with,* (ymgynghori)
deddf: *law*
cyhuddo: *to accuse*
creulondeb: *cruelty*
llanastr: *mess*
a wnaethai: yr oedd (e) wedi'i wneud

dystion, a byddai ef yn sicr o wadu'r cwbl. A oedd ganddo gariadon tua'r De? Oedd, amryw, atebodd Leusa; yr oedd o'n un garw am y merched. O, yr oedd y broblem yn un hawdd ynteu. Byddai William Jones yn falch o ymryddhau o dalu'r bunt wythnosol, a dim ond iddo dreulio nos mewn rhyw westy gydag un o'i ferched . . . Na, ni lwyddai'r cynllun hwnnw ym marn Leusa; yr oedd ei gŵr yn ormod o hen lwynog i'w glymu ei hun wrth un ferch arbennig.

Hm. Crafodd y cyfreithiwr ei ên. Ofnai y byddai'n rhaid i'r ddau aros hyd ddiwedd y tair blynedd. Yn y cyfamser, câi Leusa ei phunt yr wythnos; byddai'n rhaid i'r dihiryn dalu honno. Oedd, yr oedd y ddeddf yn ffolineb, efallai, ond ni wyddai ef am ffordd i'w hosgoi.

Rhywfodd neu'i gilydd, daeth y stori i glustiau Susan Lewis, a chludodd ei gŵr y stori i'r chwarel. Dic Trombôn a'i hadroddodd wrth Bob Gruffydd, ac ysgrifennodd hwnnw ar unwaith at ei hen bartner.

"Ia, wel," oedd unig sylw William Jones.

---

gwadu: *to deny*
amryw: nifer
garw: h.y. ofnadwy
ymryddhau: *to free (himself)*
ni lwyddai: fyddai'r . . . ddim yn llwyddo
llwynog: cadno, *fox*
cyfamser: *meantime*
câi Leusa: byddai Leusa'n cael
dihiryn: *rascal*
y ddeddf: *the law*
ffolineb: *foolishness*
ni wyddai ef: doedd e ddim yn gwybod
cludodd: cariodd, (cludo)
sylw: *observation*

Pennod XIV

POBOL RYFADD

Aeth Crad i orwedd yn nechrau Hydref, gan fod yr aflwydd ar ei ysgyfaint, meddai'r meddyg yng nghlust William Jones, yn troi'n ddarfodedigaeth. Cadwodd ef y newydd rhag Meri, wrth gwrs, ond yr oedd ofn fel rhew yn ei chalon hi pan welodd ei gŵr yn pesychu gwaed.

Edmygai William Jones wroldeb Crad, y dyn claf a guddiai anobaith mewn atgofion llon. Treuliai oriau gydag ef i sôn am chwarae *billiards,* am bysgota yn Afon Gam a rhoi'r cipar tros ei ben yn y Pwll Dwfn, am rai o gymeriadau digrif y chwarel, am y gwaith a gâi Meri i dynnu ei chariad, ac wedyn ei gŵr, i'r capel. Ond edmygai'r chwarelwr ddewrder tawel ei chwaer yn fwy byth.

Mynd ymlaen â'i gwaith yn ddiwyd a llawen a wnâi Meri, wrth gwrs. Ac yr oedd digon i'w wneud. Chwarae teg i Eleri, cynorthwyai hi ei mam yn selog bob gyda'r nos. Yr oedd hi erbyn hyn yn athrawes yn Ysgol y Babanod ac wrth ei bodd yno, ond pan gyrhaeddai adref a chael ei the, trawai farclod amdani i helpu ei mam.

Treuliasai'r chwarelwr dros flwyddyn ym Mryn Glo, a dysgasai lawer am fywyd y cwm a fu unwaith mor brysur a llon. Diar, mor ddifeddwl oedd ef yn Llan-y-graig wrth ddarllen ambell lythyr oddi wrth Meri. Soniai hi fod Nymbar Wan wedi cau a'r pentref bron i gyd yn ddi-waith, ond ni sylweddolodd ef lawn ystyr y newydd. "O, maen nhw'n cael y *dole,*" meddai Bob Gruffydd. Yn awr, wedi rhyw bymtheg mis ymhlith y segurwyr

---

rhyfadd: h.y. rhyfedd
aflwydd: h.y. afiechyd, *ill-health*
ysgyfaint: *lungs*
darfodedigaeth: *consumption*
edmygai W.J.: roedd W.J. yn edmygu/*admire*
gwroldeb: dewrder, *bravery*
a gâi Meri: y byddai Meri'n ei gael
yn ddiwyd: yn brysur
cynorthwyai hi: roedd hi'n cynorthwyo/helpu
yn selog: *zealously*
trawai farclod: byddai'n gwisgo ffedog/*apron*
treuliasai: roedd . . . wedi treulio
dysgasai: roedd (e) wedi dysgu
ymhlith: yng nghanol
y segurwyr: *the idle people*

anorfod, rhyfeddai fod eu hysgwyddau mor ysgwâr a'u cyfarchiad mor llawen. Tynnai William Jones ei gap—ei fowler, yn hytrach—i Shoni.

Ac i Feri'n fwy na neb. A'i phlant yn ennill rhyw gymaint, ai brawd yn cyfrannu'n weddol hael at dreuliau'r tŷ, nid oedd hi'n gorfod cynilo a chynllunio fel y gwnâi cannoedd o wragedd o'i chwmpas, ond casglai ei brawd i fywyd fod yn fain iawn ar y teulu am gyfnod hir. Rhyw dri neu bedwar diwrnod yr wythnos a weithiai Crad am ddwy flynedd cyn i Nymbar Wan gau, a cherddai'n ffyddiog i'r pwll lawer bore i ddim ond i weld y lampman yn ysgwyd ei ben. ''Dim gwaith 'eddi''—ac i ffwrdd ag ef adref yn araf a phrudd, ond cyn gynted ag y deuai i Nelson Street, plastrai wên ar ei wyneb a cheisiai feddwl am bethau digrif i'w dweud wrth Feri a'r plant. Ac â rhyw ddoethineb tawel yn ei gwedd, daliodd Meri fel miloedd o wragedd eraill drwy'r cwm, i lanhau ei thŷ a dyfeisio prydau bwyd maethlon ond rhad a thrwsio neu ail-wneud llawer dilledyn.

Sut y gwnâi Meri ei holl waith, ni wyddai William Jones. Yr oedd hi wrthi o fore tan nos. Codai ychydig wedi saith, ac ar ôl cynnau tân a thacluso tipyn ar y gegin, âi â chwpanaid o de i Grad, ac yna paratoai frecwast i Wili John ddeng munud wedi hynny—fwy neu lai—ac Eleri tuag ugain munud wedi, ac ar ôl iddynt oll fwyta, eisteddai Meri wrth ei brecwast ei hun. Yna cludai damaid i'r llofft i'r dyn claf, a deuai i lawr wedyn i glirio'r bwrdd a golchi'r llestri, gan fod yn ddiolchgar i'w brawd am ei gymorth i'w sychu. Yn syth i fyny'r grisiau wedyn â'r dŵr-

---

anorfod: *unconquerable*
cyfarchiad: *greeting*
yn hytrach: *rather*
Shoni: dynion sy'n byw yn y De
rhyw gymaint: *so much*
cyfrannu: *to contribute*
treuliau: cost
cynilo: (arian) *to save*
fel y gwnâi: fel y byddai . . . yn gwneud
casglai ei brawd: *her brother concluded,* (casglu)
yn fain: h.y. yn galed
yn ffyddiog: yn llawn ffydd a gobaith
prudd: trist
cyn gynted ag: *as soon as*
y deuai: y byddai'n dod
doethineb: *wisdom*
gwedd: *appearance*
maethlon: *nourishing*
gwnâi Meri: byddai Meri'n gwneud
ni wyddai W.J.: doedd W.J. ddim yn gwybod
nid ufuddhâi: fyddai (hi) ddim yn ufuddhau/*obey*
âi: byddai'n mynd
oll: i gyd
cludai: cariai, (cludo)

shefio i'w gŵr, a thra byddai ef yn eillio'i wyneb, gwnâi hithau'r gwelyau. Yna rhedai i lawr i nôl dŵr iddo ymolchi, a threuliai ryw hanner awr wedyn i dacluso'i lofft ef ac, os byddai angen, i newid dillad y gwely. Erbyn hynny, byddai tua hanner awr wedi deg, a gallai Meri feddwl am "ddechrau'i gwaith"—golchi neu smwddio neu lanhau neu grasu—ac ar yr un pryd baratoi tamaid o ginio i'w theulu. Ganwaith y dywedodd na wyddai hi ar y ddaear beth a wnâi "heb William," gan ei fod ef erbyn hyn yn un campus am fynd i neges a gofalu am y tân a rhedeg i fyny'r grisiau i weld a oedd eisiau rhywbeth ar Grad. Nid "lojar" oedd ef mwyach, ond aelod defnyddiol iawn o'r teulu, a theimlai yntau fod angen ei wasanaeth yn y tŷ yn Nelson Street.

Deuai Eleri adref o'r ysgol ychydig wedi deuddeg, a rhaid oedd cael y cinio'n barod iddi. Tuag un o'r gloch y cyrhaeddai Wili John, mor newynog â nafi, ac wedi iddo ef droi'n ôl o'r siop erbyn dau, câi Meri gyfle i ailddechrau ar ei gwaith. Âi William Jones i fyny i'r alotment neu i lawr i Glwb y Di-waith, a phan ddychwelai tua phedwar, byddai ei chwaer yn ddieithriad yn ei "dillad diwetydd" a ffedog lân o'i blaen. Câi Meri orffwys amser te, oherwydd mynnai Eleri a William Jones glirio'r bwrdd, a chyda'r nos câi "hamdden" i drwsio a gweu a gwnïo ac i ysgrifennu ambell lythyr at Arfon.

* * * *

Meddyliai Crad gryn dipyn am grefydd, er mai pur aneglur oedd ei syniadau ar y pwnc. Ceisiai gofio rhai o ddywediadau Mr. Rogers, gyda'u pwyslais ar "wasanaeth" a "charedigrwydd" a "chymwynasgarwch"; cofiai'n gliriach wasanaeth a

---

eillio: *to shave*
angen: eisiau
crasu: *to air (the clothes)*
na wyddai: doedd hi ddim yn gwybod
campus: ardderchog
neges: *errand*
mwyach: erbyn hyn
newynog: eisiau bwyd yn fawr iawn
câi Meri: byddai Meri'n cael
âi W.J.: byddai W.J. yn mynd
dychwelai: byddai'n dod yn ôl, (dychwelyd)
yn ddieithriad: *without exception*
diwetydd: diwedd dydd
câi Meri: byddai Meri'n cael
mynnai: roedd . . . yn mynnu, *(to insist)*
cryn dipyn: llawer iawn
aneglur: *unclear*
dywediadau: *sayings*
cymwynasgarwch: caredigrwydd, *kindness*
cymwynasau: *favours*

charedigrwydd a chymwynasau Mr. Rogers ei hun i deuluoedd yr ardal. A phan ddychmygai Crad Iesu Grist yn rhodio drwy wlad Canaan gan wneuthur daioni, wyneb a llais Mr. Rogers a roddai ef iddo. Câi gysur a mwynhad yn y darlun.

Pan ddaeth i lawr o'r Gogledd i Fryn Glo, gŵr digrefydd ydoedd, er y llwyddai Meri i'w lusgo i'r capel weithiau. Nid oedd gweinidog yn Salem y pryd hwnnw, a phob tro yr arweinid Crad i'r capel, rhyw frawd yn swnian yn ddefosiynol fel Mr. Lloyd a oedd yn y pulpud. Gwrthododd yn lân fynd i wrando ar y gweinidog newydd yn Salem, pan roddwyd galwad i Mr. Rogers. Gwelai ef ar y stryd a chlywai am ei waith da mewn llawer cylch yn yr ardal, ond dyna fo, yr oedd y dyn yn cael ei dalu am ei waith, onid oedd? A phan anwyd Wili John, cafodd Crad esgus eto i fagu'r baban bob nos Sul, a throai glust fyddar i bob teyrnged a dalai Meri i Mr. Rogers. Felly y bu pethau am flynyddoedd—nes i Wili John, yn hogyn rhwng saith ac wyth oed ystrancio'n ffyrnig un nos Sul am nad âi ei dad gydag ef i'r capel. Rhoes glusten i'r creadur gwirion, ond bu'n rhaid i Grad ildio, a cherddodd Wili John yn dalog yn llaw ei dad i'r oedfa. A thrannoeth, pan alwodd Mr. Rogers yn y tŷ, ni ddihangodd Crad i'r cefn neu i'r llofft o'i ffordd.

Yn awr yn ei wely, gwenai wrth feddwl amdano ef, yn gapelwr selog. Rhaid bod rhywbeth gwirioneddol fawr yn Iesu Grist a'i efengyl i ysbrydoli gŵr fel Mr. Rogers i aros yng nghanol cyni'r cwm ac ymroi fel y gwnâi i wneuthur daioni.

"William!" meddai un hwyrddydd.

---

dychmygai Crad: *Crad would imagine,* (dychmygu)
yn rhodio: yn cerdded
gan wneuthur: gan wneud
daioni: *goodness*
cysur: *comfort*
mwynhad: *enjoyment*
llusgo: *to drag*
yr arweinid Crad: y byddai Crad yn cael ei arwain
swnian: *to pronounce*
yn ddefosiynol: *devotionally*
yn lân: *totally*
byddar: *deaf*
teyrnged: *tribute*
ystrancio: *to play tricks*
am nad âi: oherwydd na fyddai (ei dad) yn mynd
rhoes: rhoiodd, (rhoi)
clusten: *a box on the ear*
ildio: *to yield*
yn dalog: *lively*
selog: brwd
gwirioneddol: *truly*
efengyl: *gospel*
ysbrydoli: *to inspire*
cyni: caledi, *hardship*
ymroi: *to devote oneself*
gwneuthur: gwneud

"Ia, Crad?"

"Oes 'na Feibil yma, dywad?"

"Diar annwl, oes, dau neu dri. Pam?"

"Meddwl y liciwn i ddarllan tipyn arno fo, fachgan, os medri di ddŵad ag un i fyny ar y slei."

"Ar y slei?"

"Ia, rhag ofn iddyn nhw wneud hwyl am fy mhen i."

"Pwy?"

"Pawb—Shinc a Ned Andrews a Thwm Edwards a . . . a . . . Wili John."

"Mi gei di f'un i. Mi a' i i'w nôl o rŵan."

Ac wedi iddo'i gael, cuddiodd Crad ef o dan ei obennydd. Yna, un noson, daeth Wili John i mewn i'r llofft yn o sydyn a darganfod ei dad yn darllen ei Feibl. Gwenodd.

"Odych chi'n moyn *thriller,* Dada? Ma' un grêt 'da fi."

"Mae gin i un, 'ngwas i," meddai Crad yn dawel.

Ni ddeallai Wili John—ar y pryd.

---

gobennydd: clustog, *pillow*
yn o: yn eithaf

ni ddeallai W.J.: doedd W.J. ddim yn deall

Pennod XV

PEN Y BWRDD

Âi'r dyddiau heibio'n weddol gyflym i Grad. Yr oedd ganddo ddwy forwyn a dau was, a galwai rhywun i'w weld bron bob dydd. Safai'r set-radio hefyd ar y bwrdd wrth ei wely a châi fwynhad yn gwrando arno, yn arbennig ar raglenni Cymraeg. Casglai'r teulu oll yn ddefosiynol yn y llofft bob tro y disgwylid llais William Jones o'r teclyn, a phechodd Wili John yn anfaddeuol un nos Fercher wrth farnu bod Gary Cooper mewn ffilm yn fwy diddorol na'i Wncwl William ar y radio.

Synnai Meri fod Crad mor siriol. Pan orchmynasai'r meddyg iddo fynd i orwedd, dychmygai hi y byddai ei gŵr ar bigau'r drain yn ei wely ac yn bygwth codi bob bore. Collai ei dymer weithiau, wrth gwrs, ac nid unwaith na dwywaith y galwodd Wili John yn "debot gwirion" ond yr oedd Meri'n falch pan glywai ffrwydriadau felly.

Yr oedd Shinc hefyd yn wael. Gwyrai un diwrnod wrth fôn y clawdd yn ei alotment, a syrthiodd carreg fawr ar ei wegil. Cludwyd ef i'r ysbyty ar unwaith, ond erbyn hyn dychwelasai adref—i fyw am bythefnos mewn ystafell dywyll, gan i effeithiau'r ddamwain fygwth ei olwg. Digwyddodd yr anffawd rai dyddiau cyn y bwriadai Richard Emlyn gychwyn ar ei yrfa yn y *Royal College of Music,* ond llwyddodd y bachgen i ohirio dechrau

---

âi'r dyddiau: roedd y dyddiau'n mynd
câi: roedd yn cael
oll: i gyd
yn ddefosiynol: *devoutly*
y disgwylid: *that (W.J.'s voice) was expected,* (disgwyl)
teclyn: *instrument, contraption*
pechodd W.J.: *W.J. sinned,* (pechu)
yn anfaddeuol: *unpardonable*
barnu: *to judge*
siriol: llawen, hapus
gorchmynasai'r meddyg: *the doctor had ordered,* (gorchymyn)
dychmygai hi: *she imagined,* (dychmygu)
ffrwydriadau: *explosions*
gwyrai: roedd yn plygu, (gwyro)
gwegil: *nape of the neck*
cludwyd ef: cariwyd e, (cludo)
dychwelasai: roedd e wedi dod 'nôl, (dychwelyd)
effeithiau: *effects*
golwg: *sight*
yr anffawd: y ddamwain
gyrfa: *career*
gohirio: *to postpone*

ar ei gwrs tan fis Ionawr. Ac yn awr, yn y parlwr tywyll, heb fedru darllen na dim, prif gysur Shinc oedd gwrando ar y fiol a ganai ei fab iddo.

* * * *

William Jones oedd un o'r rhai cyntaf i glywed am yr ysgoloriaeth a enillasai Richard Emlyn. Un prynhawn, ac yntau'n digwydd dod allan o'r Post pan lifai'r plant lleiaf heibio o'r ysgol, penderfynodd fynd i gyfarfod Eleri. Cyrhaeddodd waelod y grisiau o'r ysgol yr un pryd â hi, a'r munud nesaf rhuthrodd Richard Emlyn atynt â'i wynt yn ei ddwrn a rhyw olwg wyllt yn ei lygaid.

"Darllenwch a, Eleri!" meddai, gan estyn rhyw lythyr iddi. "Darllenwch a!"

Un olwg frysiog ar gynnwys y llythyr, ac yna taflodd Eleri ei braich am wddf y llanc a'i gusanu. Cofiodd fod ei hewythr gerllaw, a rhoes gusan iddo yntau.

"Sgolarship i'r *Royal College of Music,* Wncwl!"

"Duwcs annwl, go dda!" meddai'r dyn bach, gan roi ei het galed yn syth eto ar ei ben. "Ia, wir, da drybeilig! Rhaid inni ddathlu'r amgylchiad. Rhaid, wir. Mi awn ni'n tri i'r pictiwrs 'na heno. Hwda, Richard Emlyn, dyma iti hannar coron i godi ticedi i ti ac Eleri, rhag ofn y bydda i dipyn ar ôl. Yr ydw i wedi addo . . . wedi addo . . . Daria unwaith! Mi fu bron imi ag anghofio 'mod i isio rhedeg i'r Post 'na. Mi ddalia i chi i fyny ar y ffordd adra."

Ond yng nghwmni ei gilydd yr aeth y ddau tuag adref. Yna, ar ôl te, cafodd Eleri afael ar ei hewythr ar ei ben ei hun, a thyngodd ef lw na soniai air amdani hi a Richard Emlyn "wrth Dada".

Galwai'r llanc i edrych am Grad yn weddol aml, bob tro tua hanner awr wedi pump, gan aros tan chwech. Cyd-ddigwyddiad

---

cysur: *comfort*
y fiol: *violin*
enillasai R.E.: roedd R.E. wedi ennill
â'i wynt yn ei ddwrn: *out of breath*
gan estyn: *passing*
cynnwys: *contents*
trybeilig: ofnadwy
amgylchiad: *occasion*
hwda! (G.C.): cymera, hwre (D.C.)
dipyn ar ôl: ychydig o amser yn hwyr
daria!: *dash it!*
tyngodd ef lw: *he swore (an oath),* (tyngu llw)
cyd-ddigwyddiad: *coincidence*

hollol oedd bod Eleri, wrth fynd allan, yn rhoi clep ar y drws ffrynt ryw funud i chwech.

"Diawch, mae hogyn Shinc yn meddwl fy mod i'n un dwl, William," oedd sylw'r claf ryw funud wedi chwech ar un o'r nosweithiau hynny.

"O! Pam, dywad?"

"Mae o'n cymryd arno mai dŵad i 'ngweld i y mae o, ond cyn gyntad ag y clyw o sŵn y drws ffrynt 'na'n cau, i ffwrdd â fo."

"Mae arna i ofn dy fod ti'n dychmygu petha, Crad. Mae practis y côr heno, y practis cynta ar gyfar Saint Paul, ac mae Eleri a Richard Emlyn yn mynd yno. Rhaid i minna 'i throi hi hefyd, fachgan."

Rhyddhawyd Shinc o'i gell ar ddydd Sul, a galwodd i edrych am Grad trannoeth. Edrychai'n hen a llwyd, ac aethai ei wallt bron yn wyn. Gwisgai sbectol dywyll, ac ymddangosai'n ddwys a thawel iawn.

"Ydi stori William 'ma'n wir, Shinc?" gofynnodd Crad ymhen tipyn.

"Pwy stori?"

"Dy fod ti a'r plant yn y capal neithiwr?"

"Odi."

"Shincin Rees y Comiwnist yn y capal!"

"Ia."

"Be ddigwyddodd, Shinc?"

"Pythewnos miwn stafell dywyll, Crad. 'On i jest mynd *off* 'y mhen yr wthnos gynta, bachan, ac ar y dydd Iou allswn i mo'i stico hi rhagor. 'I ddiawl â'r Doctor!' myntwn i a mynd mas i moyn fy nghap. 'Ma Richard Emlyn yn fy hala i'n ôl i'r parlwr ac yn gwneud i fi addo aros yno am dicyn. 'On i'n credu taw

---

clep: *slam*
yn cymryd ar: *to pretend*
cyn gynted ag y clyw o: *as soon as he hears*
dychmygu: *to imagine*
ei throi hi: h.y. mynd (i'r practis)
rhyddhawyd Shinc: *Shinc was released,* (rhyddhau)
cell: *cell*
aethai ei wallt: roedd ei wallt wedi mynd
ymddangosai: *he appeared,* (ymddangos)
dwys: difrifol
allswn i: doeddwn i ddim yn gallu
myntwn i: dywedais i
i moyn (D.C.): i 'nôl, *(to fetch)*
hala (D.C.): anfon
am dicyn (D.C.): am ychydig (o amser), am dipyn

rhedag i moyn y Doctor 'odd a, ond yn lle 'ynny, fe ath a i dŷ Rogers, y gwnidog. 'Na fachan, boys!''

''Ia, 'na fachan!'' meddai William Jones yn ddwys.

'''On i 'riôd 'di siarad â fa o'r blân, a phan oedd a'n galw'n y tŷ i weld Richard Emlyn, 'on i'n gwân hi mas drw'r bac. 'On i ddim yn moyn *dope,* 'chi'n gweld. Wel, pan ddath a miwn i'r parlwr, 'on i'n barod iddo fa. Ond yffarn dân, mae'r bachan yn Gomiwnist, w!''

''Comiwnist!''

''Mr. Rogers!''

''Odi, ond 'i fod a'n moyn rhoi Cristnogath yng nghanol y sistem. Y sistem yn un nêt, medda' fa, ond bod isha cariad brawdol drwyddi hi. 'Beth ych chi'n gredu sy'n bwysig miwn cymdeithas, Shencin?' medda' fa wrtho'i. 'Yr un siawns i bawb', medda' fi. A 'ma fi'n gofyn iddo fa beth odd e'n gyfri'n bwysig.''

''Be ddeudodd o, Shinc?'' gofynnodd Crad.

''Dim ond un gair, yn dawel fach. 'Caredigrwydd', mynta' fa. A damo, ar ôl iddo fa fynd, 'on i'n dechra credu bod y bachan yn reit. Oddi ar 'wy i'n dost, 'wy i 'di cal lot o garedigrwydd, 'n enwedig 'da phobol y capel. Oni bai 'mod i'n 'nabod y bachan, fe faswn i'n credu taw fe odd yn hala'r bobol i'r tŷ 'co, i brofi'i fod a'n iawn.''

Câi Crad hefyd garedigrwydd mawr, er bod pethau mor dlawd yn yr ardal. Wyau, ymenyn ffarm, hufen, ffrwythau, blodau, rywbeth ar y bwrdd wrth ochr y gwely; yn wir, un dydd Llun, ar ôl y Cyrddau Diolchgarwch yn y capel, edrychai'r llofft fel siop ffrwythau.

Ond gwanychu yr oedd Crad, ac erbyn dechrau Tachwedd nid âi ond y teulu a William Jones a Mr. Rogers i'w weld. Ac ysgwyd ei ben a wnâi'r Doctor Stewart pan holai'r chwarelwr ef am gyflwr y claf.

'na fachan: h.y. dyna fachgen
ei gwân hi: h.y. dianc
moyn (D.C.): eisiau
nêt: h.y. iawn
brawdol: *brotherly*
caredigrwydd: *kindness*
onibai: *were it not*
câi Crad: roedd Crad yn cael
y Cyrddau Diolchgarwch: *The Thanksgiving Services*
gwanychu: *to weaken*
nid âi ond y teulu . . .: dim ond y teulu . . . fyddai'n mynd

Yna, un bore Gwener pan ddychwelai William Jones yn llawen o'r Swyddfa Lafur, yr oedd Meri ar ben y drws yn ei aros. Gwelai'r braw yn ei llygaid.

"Be sy, Meri fach?"

"Mi gafodd o bwl annifyr iawn gynna. Ron i'n ofni 'i fod o'n mygu. Ond mae o'n well rŵan. Isio siarad hefo chdi, medda fo. Dos i fyny ar unwaith, William."

Brysiodd ei brawd i'r llofft, a gwenodd Crad wrth ei weld.

"Wedi cal gwaith, Crad! Yn Llan-y-bont! Dechra dydd Llun! 'On i ddim isio gweithio mewn miwnishons, ond gwaith ydi gwaith, yntê? Ac maen nhw'n talu cyflog reit dda ac yn deud . . ."

Ond nid oedd y claf fel petai'n gwrando.

"William?" meddai'n wan.

"Ia, Crad?"

"Isio iti addo . . ."

"Rhwbath, 'r hen ddyn, rhwbath."

". . . Aros yma hefo nhw."

"Pwy oedd yn deud 'mod i'n bwriadu mynd o' 'ma? A finnau'n rêl Hwntw a newydd brynu belt ac yn deud 'Shwmai, bachan?' a . . ."

Estynnodd Crad ei law allan, a chydiodd yntau ynddi.

"Diolch iti, 'r hen William . . . Am bopath."

* * * *

Cyfarfyddai'r côr y noson honno, a chafodd Meri waith i gymell ei brawd i fynd i'r practis. Ildiodd o'r diwedd ar ôl rhedeg i fyny i'r llofft ar flaenau'i draed a gweld bod Crad yn cysgu'n dawel. Yn ddiysbryd iawn y cerddodd tua'r capel, a thawel oed ei "Go lew, wir, diolch," pan gyrhaeddodd yno. Prif waith yr hwyr oedd dysgu'r gytgan *Happy and Blest Are They,* ond yn beiriannol a breuddwydiol y canai William Jones ac y gwran-

---

y Swyddfa Lafur: h.y. *Job Centre*
ar ben y drws: ar step y drws
braw: ofn
pwl annifyr: *an unpleasant bout*
gynna: h.y. gynnau, ychydig bach o amser yn ôl
mygu: *to choke*
o' 'ma: h.y. oddi yma
rêl: *real*
Hwntw: dyn o'r De
cyfarfyddai'r côr: roedd y côr yn cwrdd, (cyfarfod)
cymell: *to coax*
ildiodd: *he yielded,* (ildio)
cytgan: *chorus*
yn beiriannol: *mechanically*

dawâi ar gynghorion yr arweinydd. Cawsant yr hawl ymhen rhyw awr i ganu'r gytgan drwyddi, a thawelwyd ei feddwl gan hud a hyder y gerddoriaeth. Ac erbyn diwedd y darn—

Oh, happy they who have endured!
For though the body dies,
The soul shall live for ever—

canai mewn llawenydd pur, gan ddiolch i Fendelssohn am droi ffydd yr adnod yn orfoledd cerdd. Darfu cân y côr, ac yna . . . Rhoes Idris Morgan bwniad i'w fraich, gan nodio tua phen y sedd. Yno safai Shinc, a darllenodd William Jones ar amrantiad y newydd a oedd ar ei wyneb. Amneidiodd ar Eleri, a gadawodd y ddau eu seddau'n dawel, gan frysio drwy'r capel a thuag adref.

* * *

Syllai William Jones i'r tân. Noson yr angladd ydoedd, a threuliasai ef ac Arfon ryw awr yn mynd trwy bapurau Crad a thrwy'r biliau ynglŷn â'r cynhebrwng. Ac yn awr aethai Arfon a Wili John allan am dro, ac eisteddai eu hewythr yn y gadair-freichiau mewn myfyr.

Bore trannoeth dychwelai Arfon i Lundain, Wili John i'r siop, ac Eleri i'r ysgol, a dechreuai yntau weithio yn Llan-y-bont.

Gwyrodd Meri o'i flaen i bwnio'r tân, a chyffroes William Jones drwyddo am ennyd. Syllodd ar ei gwddf tenau, ar ei gwar grom, ar yr arian yn ei gwallt, ac ar groen crychion y llaw a ddaliai'r procer. 'Rargian, dyna debyg i'w mam yr oedd Meri'n mynd! Credasai am funud mai ei fam a oedd yno.

---

cynghorion: *advice*
hud: *enchantment*
llawenydd: hapusrwydd
gorfoledd: *ecstasy*
darfu: gorffennodd
pwniad: *a nudge*
ar amrantiad: *in the twinkling of an eyelid*
amneidiodd: *he beckoned,* (amneidio)
treuliasai: roedd . . . wedi treulio
cynhebrwng: angladd
aethai: roedd . . . wedi mynd
myfyr: *contemplation*
gwyrodd: plygodd, (gwyro)
pwnio: *to poke*
cyffroes W.J.: *W.J. stirred,* (cyffroi)
am ennyd: am ychydig iawn o amser
gwar grom: *stoop*
crychion: *lined*
procer: *poker*
'rargian!: yr argian! *goodness me!*
credasai: roedd wedi credu

Eisteddodd hi yn y gadair gyferbyn ag ef am funud.
"Meri? Wyt ti'n cofio Crad isio 'ngweld i bora Gwenar?"
Nodiodd hithau, gan ochneidio'n dawel.
"Wel, mi wnath imi addo, wsti . . . y baswn i . . . y baswn i'n edrach ar eich hola chi yn 'i le fo."
Bu tawelwch rhyngddynt am ennyd; yr oedd y dagrau'n cronni yn ei llygaid.
"Wel, fel y gwyddost ti, rhyw fywyd bach hunanol ydw i wedi'i fyw ers blynyddoedd . . ."
"Chdi!"
"Ia, hunanol iawn—mynd i'r chwaral yn y dydd ac i'r capal ne' i'r ardd ne' am dro i'r Hendre gyda'r nos. Ond rŵan, dyma fi'n cal cyfla i fod o wasanath i rywun, yntê! I chdi ac Arfon a Wili John ac Eleri."
"Wn i ddim be fasan ni wedi'i wneud hebddot ti y misoedd dwytha 'ma, William bach. Na wn i, wir."
"Twt. Dyma on i am ddeud—fy mod i'n bwriadu cadw f'addewid i Grad, beth bynnag fydd Meri, hogan Ann Jones, yn 'i ddeud."
"Be wyt ti'n feddwl, William?"
"Dim ond dy fod ti'n ofnadwy o annibynnol, hogan, ac y bydd hi'n rhaid i mi roi fy nhroed i lawr yn amal. Dyma fi wedi cal cyfla o'r diwadd, ar ôl byw mor hunanol, i drio bod . . . i drio bod . . . yn debyg i Mr. Rogers."
Gwenodd ei chwaer drwy'i dagrau; gwyddai gymaint oedd edmygedd ei brawd o'r gweinidog.
"Mi fydda i'n ennill cyflog reit ddel rŵan, er y bydd yn rhaid imi dalu chwechswllt yr wsnos am y bws, ac roedd y clarc yn deud fy mod i'n siŵr o gal caniatâd i ddŵad adra'n gynnar os daw galw am fy ngwasanaeth i yn y B.B.C. Ond fydd gin i ddim blas ar ddechra gweithio, wsti, os na . . . os na cha i'r hawl gin ti i . . . i gadw f'addewid i'r hen Grad."

---

ochneidio: *to sigh*
addo: *to promise*
wsti (G.C.): h.y. wyddost ti
cronni: casglu
hunanol: *selfish*
dwytha: h.y. diwethaf
annibynnol: *independent*
gwyddai: roedd yn gwybod
edmygedd: *admiration*
caniatâd: *permission*
fydd gin i ddim blas ar: h.y. *I won't feel like . . .*
os na cha i'r hawl gin ti: h.y. *if you won't allow me to . . .*
addewid: *promise*

Gwelai'r frwydr ym meddwl ei chwaer. Yr oedd hi'n deg iddi hi a'r plant ymdrechu a herio ansicrwydd y dyfodol, ond gwrthryfelai ei holl natur yn erbyn "cardod".

"Nid dyna oedd ym meddwl Crad, William."

"Y?"

"Isio iti aros i lawr yma i fod yn gwmni inni yr oedd o. Roedd Crad druan mor annibynnol â neb."

"Oedd, 'nen' Tad."

"Dydi hi ddim yn ddrwg arnon ni, William. Rwyt ti'n mynnu talu punt yr wsnos imi ac mae Arfon yn medru cadw'i hun a Wili John newydd gael codiad eto ac mae Eleri'n ennill rhyw gymaint. Mi fydd yn cael wythbunt y mis y flwyddyn nesa, medda' hi."

"Y? Ymh'le?"

"Fel *Uncertif.* Mae hi am aros yn yr ysgol yn lle mynd i'r Coleg."

"Ydi hi wir! Pryd y setlwyd hynny?"

"Neithiwr y buo ni'n siarad am y peth."

Penderfynodd William Jones ymddangos yn gas.

"Mae hi'n amlwg mai tipyn o lojar ydw i yma," meddai. "Synnwn i ddim na chawn i lawn cystal lojin hefo Jane Gruffydd 'tawn i'n mynd yn f'ôl i Lan-y-graig ac i'r chwaral. Ac oni bai am f'addewid i'r hen Grad, yn f'ôl y baswn i'n mynd yr yfory nesa."

Adwaenai Meri ei brawd. Cododd gan wenu, ac wedi esmwytho'r glustog tu ôl i'w gefn, tynnodd ei glust yn chwareus. "Aros tan ar ôl swpar cyn pacio, William," meddai. "Yr ydw i'n mynd i dorri'r bara-'menyn rŵan."

* * * *

Syllodd William Jones eto i'r tân, gan wylio'r fflam a droai'n fwg, ac yn fflam, ac yn fwg. Yr oedd y tŷ'n dawel iawn, fel petai

---

ymdrechu: *to strive*
herio: *to challenge*
ansicrwydd: *uncertainty*
gwrthryfelai: roedd ... yn gwrthryfela, *(to rebel)*
cardod: *charity*
codiad: *a rise*
amlwg: *obvious*
synnwn i ddim: faswn i ddim yn synnu, *(to surprise)*
lawn cystal: h.y. *just as good*
oni bai am: *were it not for*
adwaenai Meri: roedd Meri'n adnabod
esmwytho: *to smooth*

yntau'n gwrando ar sŵn y gwynt a rhuthr y glaw. Rhyw dawelwch astud, disgwylgar, lle bu chwerthin anorchfygol Crad . . . Byddai Meri'n unig rŵan. Byddai, yn arbennig ar nosweithiau'r côr, ac ni ellid disgwyl i Wili John aros yn y tŷ bob tro yn gwmni i'w fam. Ond yr oedd hi a Mrs. Morgan drws nesaf yn gyfeillion mawr, a gallai fynd draw yno i sgwrsio a gweu . . .

"William?"

"Ia, Meri?"

Yr oedd hi wrthi'n gosod swper.

"Wyt ti'n meddwl y medrwn ni . . . y medrwn ni'i fforddio fo?"

"Fforddio be?"

"Gyrru Eleri i'r Coleg 'na."

"'I fforddio fo, medrwn! Medrwn, 'nen' Tad. A does arna i ddim eisio clywad chwanag o hen lol am ynsartiff ac wythbunt y mis a pheth felly. Hen gybôl gwirion. Cofia di, rŵan."

"Dyma'r hogia'n dŵad yn 'u hola," oedd ei hateb, gan nodio tua sŵn Mot yn cyfarth rywle ym mhen y stryd.

Aeth Arfon a'i ewythr i'r gegin, a safodd y llanc ar yr aelwyd am ennyd i gynhesu ei ddwylo.

"Dowch at eich swpar," meddai Meri. "Jest mewn pryd, Eleri," chwanegodd wrth ei merch, a ddeuai i mewn yr ennyd honno.

Ymwthiodd William Jones i'w le arferol wrth ochr Wili John ar y soffa. Ond nid oedd na chwpan na phlât na dim o'i flaen, a syllodd braidd yn ffwndrus ar y bwrdd.

"Nid yn fan'na yr wyt ti i fod, William," meddai'i chwaer. "Mae'r hen soffa 'na'n rhy . . . rhy isal iti. Rydw i wedi gosod lle iti yn . . . yn fan'cw."

"O?"

"Do, ym mhen y bwrdd, William."

---

rhuthr: *rush*
astud: *attentive*
disgwylgar: *expectant*
anorchfygol: *invincible*
gyrru (G.C.): anfon, hala (D.C.)
ynsartiff: h.y. *uncertif(ied)*
hen gybôl: h.y. *old nonsense*
gwirion: *silly*
cynhesu̇: twymo
a ddeuai: a oedd yn dod
ymwthiodd W.J.: gwthiodd W.J. ei hun·
ffwndrus: *confused*

ATODIAD

A. GO / YN O . . .

Fe welwch fod T. Rowland Hughes yn defnyddio'r ffurf **go** neu **yn o . . . rather** . . . Treiglad meddal o **go** (ar ôl **yn** yw **o**) ac mae treiglad meddal yn dilyn *O* yn ogystal, e.e. go sâl, go lew, go gyffrous, go chwithig, go wahanol, go arw, go dda, go wirion, yn o wahanol, yn o denau, yn o ddrwg, yn o brin.

B. BORE—BORA

Mae'n siŵr eich bod wedi sylwi bod **e** yn sillaf olaf gair yn nhafodiaith Gwynedd yn troi'n **a,** e.e. bore—bora cf. chwaral, arfar, potal, diwadd, adra, ginath (geneth), cefndar, rhyfadd, cnithar (cyfnither), coliar, clywad, chwanag (ychwaneg), dannadd, amsar, hannar, tybad, collad, bachgan, rhywla, rhwbath (rhywbeth), diodda .

C. *USED TO / WOULD / WAS*

Mae'r ffurfiau cryno **(concise)** yn llai cyfarwydd i ddysgwyr.

a) Fel arfer, mae'r berfau'n gorffen fel hyn:
—wn i
—et ti
—ai e/o
—ai hi
—em ni (—en ni)
—ech chi
—ent hwy (—en nhw)
e.e. gorweddai o —roedd o'n gorwedd /
roedd o'n arfer gorwedd /
byddai o'n gorwedd

Sylwch yn arbennig ar y ffurfiau sy'n gorffen yn **—ai (e/hi),** e.e. gwelai, torrai, meddai (*said*), teimlai, nid edrychai, tynnai, ceisiai, ni allai, gallai, daliai, costiai, ni fedrai, digwyddai, cytunai, os dymunai, dychwelai, haeddai, mwynhâi, dywedai . . .

b) Sylwch yn ogystal ar y ffurfiau afreolaidd *(irregular)* hyn:

âi e/o/hi *(mynd),* deuai e/o/hi *(dod),* gwnâi e/o/hi *(gwneud),*
câi e/o/hi *(cael),* gwyddai e/o/hi *(gwybod),* adwaenai e/o/hi *(adnabod).*

CH. —ASWN I; —ASAI E/HI

Rydych yn gyfarwydd â'r patrwm: *Roeddwn i wedi gwerthu . . .* Un gair am y cyfan yw: *Gwerthaswn.* Un gair am: *Roedd hi wedi penderfynu* yw: *Penderfynasai.* Mae llawer iawn o enghreifftiau o'r ffurf —**asai** yn y nofel: cuddiasai, darllenasai, gwerthasai, dywedasai, cwynasai, dysgasai, priodasai, awgrymasai, enillasai, chwaraesai, derbyniasai, dewisasai, eisteddasai, gadawsai (gadael), clywsai (clywed).

Ffurfiau afreolaidd (*irregular*) yw: aethai (*mynd*), daethai (*dod*), gwnaethai *(gwneud),* cawsai *(cael),* gwybuasai *(gwybod).*

D. —ES = —ODD

Mae rhai enghreifftiau yn y nofel o'r hen derfyniad (*ending*) **—es** sef **—odd,** e.e. rhoes *(rhoiodd),* troes *(trodd/troiodd),* deffroes *(deffrodd).*

DD. DYDDIA' (DYDDIAU); CYNTA' (CYNTAF)

(i) Yn y rhannau sgyrsiol mae T. Rowland Hughes yn talfyrru (*abbreviate*) y terfyniad **—au** neu **iau** i **a'** neu **—ia'.** Yn y fersiwn hwn o'r nofel ni ddangosir y collnod '. e.e. hogia, finna, hitha, dwsina, o'r gora, inna, tipia, oria, petha.

(ii) Dydy T. Rowland Hughes ddim yn cynnwys y gytsain **f** ar ddiwedd geiriau yn y rhannau sgyrsiol ac ysgrifennir: bydda', cynta', arhosa'. Yn y fersiwn hwn o'r nofel ni ddangosir y collnod '. e.e. nesa, dela, a (af), arna i.

(iii) Ceir collnod gan T. Rowland Hughes yn y rhannau sgyrsiol mewn geiriau fel: be' *(beth),* b'le *(ble),* 'wn i ddim *(ni wn i),* 'does dim *(nid oes),* 'dydw i *(nid ydwyf i).* Yn y fersiwn hwn o'r nofel ni ddangosir y collnod ' ac ysgrifennir *be, ble,* ac yn y blaen.

E. FA / A = FE / E

Un o nodweddion tafodiaith Cwm Rhondda yw'r ffurf ar **fe** sef **FA,** neu **A** yn lle **e,** e.e. lle 'da fa *(lle 'da fe),* Odi fa? *(ydy e?),* Rodd a *(Roedd e),* Na fydd a? *(Na fydd e?),* arno fa *(arno fe).*

cymanfa ganu - Llangaed